CW00541013

Le troisième

Christine Cassier

Le troisième

Roman

LE LYS BLEU
ÉDITIONS

ISBN : 979-10-377-7754-6

La vie réserve de belles et de mauvaises surprises,
mais rien ne justifie le mensonge.

Chapitre I

Dans un petit village de campagne vivait un couple heureux et sans histoire. Le père, propriétaire d'une ferme, qu'il avait hérité de ses parents, était un homme courageux et aimant. La vie n'était pas facile tous les jours, mais il travaillait dur et était fier de pouvoir subvenir aux besoins de sa famille. Sa femme, mère au foyer, s'occupait de gérer la maison et les enfants. Sa seule préoccupation était le bien-être de sa famille et elle veillait à ce que tout soit irréprochable.

De leur union étaient nés trois enfants. Serge, l'aîné, quinze ans, suivait des études agricoles et souhaitait, plus tard, rependre la ferme de son père. Sophie la cadette, âgée de treize ans, finissait ses études secondaires, plus tard, elle souhaitait devenir médecin et employait toute son énergie à ses études. Puis le cadet, Benjamin, âgé de six ans, était arrivé sans que ce soit prévu. Ses journées étaient rythmées par l'école et ses activités avec sa mère. Elle l'emmenait chaque matin, le récupérait le midi pour déjeuner et allait le chercher le soir. Il était gentil et épanoui, mais ce qu'il aimait le plus, c'était rester avec sa mère.

Toute la famille vivait heureuse, certes, les moyens financiers des parents ne permettaient pas de dépenser sans compter, mais ils ne manquaient de rien. Les jours, les années s'écoulaient harmonieusement. Marcel et Suzanne, chacun de leur côté à leur manière, s'employaient à ce que tous vivent dans un environnement sain et heureux.

Quelquefois, ils organisaient des repas avec la famille ou des amis. Ces jours-là, Suzanne se surpassait, elle savait recevoir. Tous étaient admiratifs devant tant de gentillesse et son savoir-faire en matière de cuisine était connu de tous. Elle n'avait jamais un mot plus haut que l'autre, elle était douce, attentionnée et aimante envers sa famille. Marcel était en adoration devant elle, il savait que, malgré qu'elle ne travaillait pas, elle était, à elle seule, le pilier de la famille.

Une nuit, alors qu'il dormait profondément, Benjamin se mit à hurler, à en réveiller toute la maison, un cauchemar sans doute. À peine eut-il commencé à pleurer, que Suzanne fut réveillée et se rendit au chevet de son fils. Elle le réveilla tout doucement et d'une voix rassurante, dit :

— Benjamin… Réveille-toi, mon chéri.

Benjamin ouvrit les yeux, il avait l'air terrifié, Suzanne le prit dans ses bras et lui dit :

— Ne t'inquiète pas mon chéri, c'est juste un cauchemar, ça va aller.

Elle le berça pour le calmer, mais il était très agité et pleurait jusqu'à manquer de souffle et suffoqua.

— Allez, Benjamin, calme-toi, lui dit-elle.

Mais, malgré les gestes tendres de Suzanne, Benjamin semblait très perturbé par ce cauchemar, l'inquiétude était lisible sur le visage de Suzanne. Elle, qui connaissait bien ses enfants, trouva une parade pour essayer de calmer Benjamin. Elle lui expliqua, que pour qu'un cauchemar s'envole, il faut le raconter à quelqu'un et hop, plus de mauvaises images dans la tête. Benjamin reprit son souffle et expliqua à sa mère, les sanglots dans la voix, que dans son rêve, il avait vu une dame noire, que plein de gens pleuraient…, puis il s'arrêta.

Suzanne lui répondit :

— Benjamin, ce n'est qu'un rêve, l'esprit nous joue parfois des tours, mais il ne faut pas avoir peur, rien de cela n'est vrai, c'est juste l'imagination.

Sur ces mots et après avoir mis un certain temps à le calmer, Benjamin s'était rendormi. Suzanne l'installa dans son lit confortablement, le borda et repartit se coucher.

À son retour dans sa chambre, Marcel lui demanda ce qu'il s'était passé, elle lui expliqua que Benjamin avait fait un cauchemar, mais que tout était rentré dans l'ordre, qu'il pouvait se rendormir.

Le lendemain matin, Suzanne, comme à son habitude, était la première levée. Elle mettait un point d'honneur à préparer le petit déjeuner de toute la famille, parce qu'il était hors de question que qui que ce soit quitte la maison sans avoir pris un petit déjeuner correct. Marcel était le deuxième, à son arrivée dans la cuisine il embrassait Suzanne amoureusement, puis c'était au tour des enfants, ils faisaient la bise à leurs parents pour leur souhaiter le bonjour. Ils s'installèrent tous autour de la table, car il était de coutume que tous mangent ensemble à tous les repas.

Marcel demanda des nouvelles à Benjamin :

— Benjamin… que t'est-il arrivé cette nuit mon grand ?
— Maman m'a dit que j'avais fait un cauchemar. Tu sais, papa, j'ai eu très peur de la dame noire et des gens qui pleuraient.
— Maman t'a expliqué, il ne faut pas avoir peur, ce ne sont que des rêves et tout le monde en fait, ils ne sont pas réels, allez, ne t'inquiète pas et fini ton petit déjeuner.

Sur ces paroles rassurantes, Benjamin continua à manger.

Le petit déjeuner terminé, Marcel partait travailler. Puis c'était au tour de Serge et Sophie de prendre le car pour se rendre dans leurs établissements respectifs. Après que Suzanne ait remis de l'ordre dans sa cuisine, c'était au tour de Benjamin, Suzanne prenait la voiture pour le conduire à l'école.

Une fois de retour, Suzanne s'octroyait un petit moment de répit. Assise devant un café chaud qu'elle savourait dans un silence religieux. Puis, elle faisait un peu de ménage, rangeait les chambres et mettait en route les lessives. Une fois les tâches ménagères terminées, elle préparait le déjeuner, qu'elle n'aurait qu'à faire réchauffer pour ces deux hommes.

Il était l'heure d'aller chercher Benjamin, elle partit pour l'école. Serge et Sophie étaient demi-pensionnaires, leurs établissements scolaires étant trop loin pour rentrer le midi.

Une fois rentrée à la maison, Suzanne réchauffait le déjeuner. Pour ce midi, elle avait préparé une salade de tomates en entrée, un ragoût de bœuf, de la salade, du fromage et une tarte maison.

Benjamin jouait tranquillement dans le jardin, en attendant le retour de Marcel. Pendant ce temps, Suzanne mettait la table. Tout devait être prêt pour que Marcel n'ait pas à attendre et puisse s'octroyer un instant de détente après déjeuner. Le travail à la ferme était considérable pour un seul homme et Marcel ne ménageait pas ses efforts.

Suzanne demanda à Benjamin d'aller se laver les mains, puis de se mettre à table. Le repas était prêt, ils n'attendaient plus que, l'arrivée de Marcel pour commencer. Quelques instants plus tard, Marcel était là. Il embrassa amoureusement sa femme et affectueusement son fils, tous se délectèrent avec le repas.

Une fois terminé, Marcel prenait place dans son fauteuil, un café chaud dans la main et regardait les informations en compagnie de Benjamin. Au bout d'un certain temps, il repartait au travail, Suzanne conduisait Benjamin à l'école, puis elle rentrait pour remettre de l'ordre dans sa cuisine.

Une fois ses tâches terminées, Suzanne s'accordait un petit moment de répit pour se plonger dans la lecture d'un livre passionnant, qu'elle lisait jour après jour. Ce moment-là était à elle seule. Allongée sous un arbre, à côté de son potager où elle avait planté divers légumes, des aromates et des fruits. Elle aimait s'occuper de son potager avec soin. Suzanne préférait, pour sa famille, qu'ils mangent des légumes frais et avec les fruits, elle préparait des confitures et faisait des tartes. Parfois, au lieu de lire, Suzanne laissait vagabonder son esprit et même quelquefois s'octroyer une petite sieste très appréciée.

Vers 16 heures 15, Suzanne se préparait pour aller récupérer Benjamin à l'école. Puis Serge et Sophie rentraient par le car. Tous les trois goûtaient, puis les deux aînés allaient dans leur chambre pour y faire les devoirs pour le lendemain. Pendant ce temps, Suzanne faisait faire, pendant une petite heure, un peu de lecture, d'écriture et du calcul à Benjamin. Une fois terminé, il allait jouer jusqu'à l'heure du dîner. Il était très imaginatif pour son âge, il s'inventait des scénarios et faisait la conversation avec des personnages imaginaires.

Puis Suzanne commençait à préparer le dîner. Une fois que tout était prêt, elle mettait la table et appelait ses enfants afin qu'ils se lavent les mains et viennent se mettre à table, il était l'heure à laquelle Marcel n'allait pas tarder de rentrer à la maison. Marcel, à son arrivée, embrassait sa femme et ses enfants comme à son habitude. Lors des repas, tous parlaient des anecdotes de leur journée, le dîner se passait dans la joie et la bonne humeur. Si un des membres de la famille avait eu un problème, il en parlait sans restriction à table, et tous ensemble essayaient de trouver une solution. L'ambiance était toujours heureuse et familiale, aucun des membres de la famille n'avait de secret pour les autres.

À la fin du dîner, les enfants débarrassaient la table, Suzanne faisait la vaisselle en compagnie de Serge et Sophie qui l'essuyait et la rangeait. Marcel et Benjamin étaient installés devant le poste de télévision et regardaient les informations, en attendant que les trois autres membres de la famille les rejoignent pour regarder un film, qui d'ailleurs faisait souvent débat entre les parents et les ados, mais un compromis était toujours trouvé pour que la soirée se déroule bien.

À la fin du film, ils allaient tous se coucher. Suzanne s'occupait de mettre Benjamin au lit, puis lui lisait une partie de l'histoire, qu'il avait choisie, et s'endormait avant la fin. Serge et Sophie préparaient leurs affaires pour le lendemain, puis Suzanne passait leur souhaiter une bonne nuit, avant de rejoindre Marcel qui l'attendait dans la chambre. Puis toute la maison plongeait dans un profond sommeil.

Le temps s'écoulait comme un fleuve tranquille dans cette famille heureuse, où régnaient l'amour et l'harmonie.

Les nuits qui suivirent furent rythmées par les cauchemars de Benjamin. Suzanne passait presque toutes les nuits à son chevet. Cette situation commençait à l'inquiéter. Au début, elle préféra garder ça pour elle, elle se disait que ce n'était sûrement pas grave, juste des cauchemars comme tant d'enfants en font. Mais durant la journée, seule dans cette grande maison, cette inquiétude grandissait, des interrogations submergeaient Suzanne. Benjamin aurait-il des problèmes à l'école, ou peut-être qu'un de ses camarades l'importune… Tant de questions tournaient dans sa tête.

Un soir, au moment de se mettre au lit, Suzanne prit la décision de faire part à Marcel de ses angoisses quant à Benjamin. Marcel écouta les craintes de Suzanne attentivement et lui dit :

— Penses-tu vraiment que notre fils pourrait avoir un problème ?

— C'est ce que je ressens, Marcel. Je suis convaincue qu'il se passe quelque chose. Benjamin n'a jamais été aussi perturbé et d'ailleurs j'ai beaucoup de mal à le calmer lorsque que je le sors de ce cauchemar, il est réellement terrifié.

— Suzanne, je pense qu'il faut que nous ayons une sérieuse discussion avec Benjamin, il nous donnera peut-être une explication. Ne t'inquiète pas, je suis sûr que nous allons trouver une solution, et tout rentrera dans l'ordre. Et puis, tu sais bien que Benjamin a toujours eu beaucoup d'imagination. Allez couchons-nous et dormons, demain on y verra plus clair.

Marcel ne croyait pas en ses propres paroles, lui aussi était inquiet, mais comme Suzanne, il le lui avait caché de peur que l'inquiétude de sa femme s'amplifie. Marcel éteignit la lumière et s'endormit.

Le lendemain midi, après le déjeuner, Marcel, profitant de l'absence des aînés, s'installa, comme il en avait l'habitude, dans son fauteuil en compagnie de Benjamin. Il pensait que c'était le moment opportun pour parler avec son fils.

— Dis-moi Benjamin, je voulais te parler de tes cauchemars. Presque toutes les nuits, maman doit venir à ton chevet pour te réconforter, as-tu des ennuis, mon fils ?

— Non, papa.

— Tu en es sûr ? Tu le sais, si quelque chose te dérange ou si tu es importuné par quelqu'un, tu peux m'en parler ?

— Non, papa, il ne se passe rien.

— D'accord, on n'en parle plus pour le moment. Je t'aime mon fils.

— Moi aussi, je t'aime papa.

Suzanne appela Benjamin, il était tant de partir pour l'école. Marcel informe Suzanne qu'il restait là et qu'il attendrait son retour, Suzanne comprit qu'il voulait lui parler seul à seul de Benjamin.

Suzanne arriva à la maison, Marcel entama la conversation :

— Chérie !

— Oui…

— Je voulais te parler de Benjamin. Tout à l'heure, j'ai essayé de lui poser des questions afin de comprendre ce qui le perturbe à ce point.

— Benjamin t'a dit quelque chose ?

— Non, mais je voulais ton opinion, toi qui interviens chaque nuit qu'il fait ce cauchemar.

— Je ne te cacherais pas que je suis inquiète, Benjamin n'a jamais posé problème et le fait que du jour au lendemain, il fasse régulièrement ce cauchemar, me dit qu'il se passe quelque chose, mais quoi ? Il me semble avoir tellement peur, que ça m'arrache le cœur de le voir dans un tel état.

— J'ai pensé à quelque chose, crois-tu qu'un rendez-vous avec sa maîtresse pourrait nous éclairer ?

— Excellente idée, cela pourrait être un début et elle a peut-être des informations que nous n'avons pas. Je prends rendez-vous avec elle. Tu pourras venir avec moi ?

— Bien sûr, pour notre fils, je serai là.

— Bien chéri, je fais le nécessaire ce soir en allant chercher Benjamin à l'école.

Marcel reprit le chemin du champ pour travailler.

Le soir, Suzanne arriva à l'école plus tôt et interpella la Directrice afin qu'elle lui accorde un rendez-vous, pour elle et son mari. Elle consulta son agenda et lui proposa de venir le lendemain vers quinze heures trente. Suzanne la remercia et lui précisa qu'elle et son mari seraient là le lendemain.

Le lendemain, dans son bureau, la Directrice demanda à Marcel et Suzanne, quel était le but de leur visite.

— En quoi puis-je vous aider ?

Marcel exposa la situation.

— Madame, nous sommes venus vous voir, parce que notre fils, depuis quelque temps, fait des cauchemars régulièrement. Comme c'est récent et soudain, nous nous demandions si vous aviez remarqué quelque chose durant les heures de présence de Benjamin au sein de l'établissement, ou si vous aviez remarqué un changement dans son comportement ?

— Bien écoutez, c'est bizarre que vous me parliez de ça, parce que ce j'aurais fini par vous convoquer. J'ai remarqué que Benjamin, depuis quelque temps, est plus solitaire durant les récréations. En cours, il a souvent la tête en l'air, les yeux dans le vague. Il est moins attentif qu'auparavant, à plusieurs reprises j'ai dû intervenir pour qu'il s'intéresse à ce que nous faisions en cours. A-t-il des problèmes ? D'habitude c'est un petit garçon très épanoui, mais là, il semble que quelque chose le perturbe.

— Nous sommes comme vous, nous cherchons, j'ai essayé de le faire parler en lui posant des questions, mais il me dit qu'il n'y a rien et que tout va bien. Nous allons continuer à le surveiller et peut-être même, consulter le médecin de famille.

— Je serais plus attentive à Benjamin durant la journée. De votre côté, si vous trouvez ce qui le perturbe, tenez-moi au courant s'il vous plaît.

— Nous n'allons pas vous importuner plus longtemps Madame, nous vous tiendrons au courant.

Sur ces dernières paroles, Marcel et Suzanne prirent congé. Benjamin sortit de l'école et après avoir récupéré leur fils, ils prirent tous les trois la route.

Le soir venu, toute la famille était réunie autour d'un bon repas. Tout se déroula tranquillement. Une fois le film terminé, les trois enfants allèrent se coucher. Marcel resta un moment dans le salon, quant à Suzanne, elle finissait de ranger sa cuisine. Tous les deux, chacun de leur côté, pensaient à Benjamin et se posaient mille questions. Marcel se leva pour aller se coucher, quant à Suzanne, de son côté, venais de finir son rangement et prévoyait, elle aussi d'aller se coucher. Arrivés dans leur chambre, ils se regardèrent en espérant que cette nuit soit calme et que leur petit garçon dorme bien.

Les jours et les nuits défilèrent et, malgré tout l'amour de sa famille, Benjamin faisait de plus en plus de cauchemars, toujours cette dame noire entourée de gens qui pleurent. Un jour, comme tous les autres, Marcel partit pour le champ, mais allez savoir pourquoi Benjamin dit à sa mère :

— Maman !
— Oui Benjamin,
— Je voudrais aller voir papa aux champs,
— Pourquoi mon cœur ?
— On doit y aller, s'il te plaît
— Bon d'accord, je finis ma vaisselle et on y va, cela me permettra de lui apporter un café chaud, il a tellement de travail.
— D'accord, maman, je t'attends.

Après quelques instants, Suzanne et Benjamin se mirent en route pour le champ, il y avait environ une dizaine de kilomètres. À leur arrivée, ils descendirent de la voiture et Benjamin se mit à hurler :

— Maman, elle est là !!!
— Qui est là Benjamin, il n'y a personne, juste ton père.
— Si elle est là, la dame noire.
— Écoute, Benjamin, ça suffit, arrête maintenant, je te dis qu'il n'y a personne.
— Mais maman…
— Cela suffit ! Calme-toi.

Suzanne prit Benjamin par la main pour rejoindre Marcel. Durant les quelques mètres qui les séparaient de Marcel,

Benjamin suivait des yeux la dame noire qu'il était le seul à voir au milieu du champ. Il avait peur, peur de ce qui pourrait arriver.

Marcel, sur son tracteur, travaillait sous un soleil brûlant, la journée était magnifique.

Tout à coup, la dame noire se retrouva à côté de Benjamin et lui dit quelque chose à l'oreille qui le fit sursauter. Suzanne demanda à Benjamin si tout allait bien, il répondit que oui d'un hochement de tête. Marcel, qui avait vu sa femme et son fils sur le bord du champ, descendit du tracteur pour les accueillir.

— Coucou mes amours, qu'est-ce que vous fait ici, c'est une agréable surprise ?

Suzanne expliqua que c'était Benjamin qui avait souhaité venir le voir, mais elle ne l'informa pas du fait que son fils avait dit avoir vu, et cette fois-ci éveillé, la dame noire en plein milieu du champ.

Ils passèrent un bon moment tous les trois, puis Marcel reprit son travail, tandis que Suzanne et Benjamin reprirent le chemin de la maison. Sur la route du retour, Suzanne en profita pour aller faire quelques courses au supermarché.

Une fois les courses terminées, ils rentrèrent à la maison. Suzanne était en route à préparer le dîner, quand tout à coup elle entendit son fils hurler, elle se précipita et trouva Benjamin prostré dans un coin de sa chambre, tremblant de peur. Elle le prit dans ses bras et attendit qu'il se calme pour savoir ce qu'il s'était passé. Après un long moment, Benjamin reprit ses esprits et Suzanne lui demanda pourquoi il avait crié, mais son fils ne répondit pas.

Benjamin avait le sentiment que tout ce qu'il pourrait dire serait perçu comme un mensonge, une affabulation, se sentant incompris, il prit la décision de se taire quant aux apparitions de la dame noire. Il inventa une histoire et expliqua à sa mère qu'il avait eu peur d'un oiseau qui était entré dans sa chambre, mais que maintenant tout allait bien. L'incident était clos.

Les jours et les nuits défilèrent, chacun des membres de la famille vaquait à ses occupations. Seul point noir, Benjamin continuait à avoir ses visions, mais à présent, c'était de nuit comme de jour, il était de plus en plus effrayé et ne savait pas quoi faire quant aux révélations secrètes que la dame en noire lui faisait.

Après quelque temps, la santé de Benjamin se dégrada, il avait de moins en moins d'appétit et ses forces diminuaient jour après jour. Suzanne informa Marcel sur la situation alarmante de la santé de son fils et prit un rendez-vous pour une consultation médicale dès le lendemain.

Lors du rendez-vous, le médecin examina Benjamin et demanda à Suzanne si elle savait pourquoi son fils était dans un tel état de mal-être. Elle répondit qu'elle n'en savait rien, mais que cette situation l'inquiétait énormément. Elle expliqua qu'il mangeait peu, qu'il se renfermait sur lui-même, alors que quelque temps auparavant, c'était un petit garçon tout à fait bien dans sa peau, heureux de vivre.

Le médecin demanda à Suzanne de bien vouloir sortir et de le laisser seul avec son fils. Elle eut un regard interrogatif, elle ne comprenait pas pourquoi sa présence n'était pas souhaitée.

Alors, le médecin demanda à Benjamin de sortir quelques instants, puis il expliqua à Suzanne qu'avec certains patients il est plus facile de dialoguer sans la présence d'une tierce personne, qu'il se confiait plus facilement seuls et à une personne étrangère au foyer. Suzanne comprit la démarche et s'apprêta à sortir, quand le médecin lui demanda de bien vouloir faire entrer son fils, elle acquiesça.

Benjamin entra dans le cabinet, s'installa en face du médecin, il était prêt, prêt à mentir pour ne pas révéler la véritable raison de son état. De toute façon, se dit-il, personne ne le croyait, alors pourquoi le médecin ferait-il exception ?

— Alors, Benjamin, tu veux bien me dire ce qu'il se passe ? Tu sais, tu peux tout me raconter, et si tu ne veux pas que tes parents sachent, cela restera entre nous, alors confis toi à moi et je pourrais peut-être d'aider.

Benjamin restait muet, il pensait qu'en se taisant tout finirait par s'arrêter. Et puis, qui pourrait croire ce qu'il savait, qui pourrait intervenir pour que cela change ? Tant de questions sans réponse qui confortaient Benjamin dans son maintien du silence.

Le médecin, voyant que Benjamin ne réagissait pas à sa demande, essaya une autre tactique. Il allait faire croire à Benjamin que s'il ne répondait pas, il conseillerait à ses parents de le faire hospitaliser dans un service psychiatrique afin de trouver les raisons de cette attitude.

— Bon Benjamin, si tu ne veux pas me parler, je me vois dans l'obligation, vu ton état physique et psychologique, de te faire admettre à l'hôpital dans un service psychiatrique pour te sauver de toi même, qu'est-ce que tu en penses ?

— Non ! S'il vous plaît, je ne peux pas être enfermé dans un hôpital, je dois absolument rester avec ma famille, c'est très important. Et puis…

— Et puis quoi ? Pourquoi t'arrêtes-tu ? Continue

— Je ne peux pas, je n'ai pas le droit.

— Le droit de quoi et qui t'empêche de dire ce que tu veux ?

— Je n'ai plus rien à dire, mais s'il vous plaît laissez-moi rester avec ma famille, s'il vous plaît !

Le médecin invita Suzanne à revenir et à Benjamin de sortir du cabinet. Il était perplexe quant à la santé mentale de Benjamin et en fit part à sa mère.

— Écoutez, l'attitude de Benjamin me pose problème, il ne veut pas se confier, il ne veut pas aller à l'hôpital pour se soigner, mais surtout ce qui m'inquiète le plus c'est sa réaction par rapport à une éventuelle séparation de sa famille, il semble qu'il préfère souffrir que de vous quitter. Franchement je ne sais pas trop quoi en penser, mais sa santé se dégrade et sans changement radical, il y va de sa vie.

— Docteur ! Vous me faites peur, de quoi souffre mon fils ?

— Je ne suis pas spécialiste, mais je pense qu'il faudrait l'hospitaliser dans un service psychiatrique, afin que des professionnels du comportement infantile puissent aider votre fils, mais la décision vous appartient.

— Vous êtes sûr ? Mon fils n'est pas fou, pourquoi en psychiatrie ?

— Je pense que la souffrance tant physique que psychologique de Benjamin relève de la psychiatrie, mais vous êtes sa mère et seuls vous et votre mari pouvez prendre cette décision.

— D'accord Docteur, je vais en parler avec mon mari et je vous tiens au courant de notre décision.

Suzanne, sortit du cabinet le cœur serré, elle prit Benjamin par la main et rentra.

Toute l'après-midi, elle n'avait pu s'empêcher de penser à ce que lui avait dit le médecin, tout tournait dans sa tête, mille questions arrivaient les unes après les autres. Mais surtout elle se posait des questions sur elle-même : « est-ce que l'état de son fils avait un rapport avec ses cauchemars ou ces apparitions ? Est-ce qu'elle n'aurait pas dû l'écouter plus attentivement au lieu d'essayer de le convaincre que tout cela sortait de son imagination ? ». Elle était effrayée.

Le soir venu, toute la famille était réunie, mais Suzanne et Marcel ne parlèrent pas de la visite chez le médecin.

Le lendemain matin, une fois les aînés partis et Benjamin à l'école, Marcel demanda à Suzanne ce qu'avait dit le médecin.

— Suzanne, que t'a dit le médecin ?

— Que notre fils ne va pas bien du tout, que sa santé physique et psychologique est au plus mal. Il m'a dit qu'à son niveau il ne pouvait rien, qu'il serait préférable, étant donné qu'il ne veut pas parler, de le faire hospitaliser dans un service psychiatrie pour enfant en difficulté. Que des spécialistes pourront l'aider et trouver une solution à sa pathologie. Voilà ce qu'il m'a dit, mais c'est à nous, ses parents, de prendre la décision.

Marcel en resta sans voix. Il avait l'impression qu'une montagne venait de lui tomber sur la tête.

— Suzanne, es-tu sûr de ce médecin ? On pourrait peut-être en consulter un autre avant de prendre une décision ?

— Marcel, notre médecin a suivi nos trois enfants depuis qu'ils sont nés, il les connaît bien et j'ai très peur pour Benjamin, il dépérit de jour en jour, il ne rit plus, ne joue plus et même à l'école, il est à l'écart des autres camarades. Vraiment je pense qu'il faut faire quelque chose et vite, si nous ne voulons pas perdre notre fils.

Ils restèrent un long moment chacun dans leurs pensées, puis Marcel dit à Suzanne :

— Contact le médecin, nous devons faire tout pour que Benjamin se sente mieux.

— D'accord chéri, mais il faut en parler à Benjamin, il ne doit pas être hospitalisé comme ça, sans explication, ce serait terrible pour lui.

Ils montèrent tous les deux dans la chambre de Benjamin. À leur arrivée, Benjamin était allongé sur son lit, les yeux dans le vide.

— Benjamin ! dit Suzanne.

Il n'eut aucune réaction…

— Benjamin ! Papa et moi avons à te parler. Voilà, nous savons que tu n'es pas très bien depuis quelque temps à cause de ces cauchemars. Tu te rappelles hier, nous sommes allés chez le docteur et tu n'as pas pu lui parler, mais il a peut-être une solution pour arrêter ces cauchemars, veux-tu que je t'explique ce qu'il propose ?

Benjamin ne répondit pas.

— Le docteur pense que tu devrais aller à l'hôpital pour faire quelques examens, ce qui permettrait de trouver pourquoi tu ne te sens pas bien. Est-ce que tu serais d'accord ? Ça ne durera pas longtemps et ont viendra te voir tous les jours.

— Maman…

Pour la première fois, depuis plusieurs mois, Benjamin réagissait. Marcel et Suzanne furent soulagés.

— Oui, Benjamin.

— Maman, si je vais à l'hôpital c'est que je suis malade ?

— Non, Benjamin, le docteur veut juste voir, après avoir fait des examens, si tout va bien. Mais rassure-toi, tout ira bien, nous serons toujours là pour toi.

— D'accord, je veux bien aller à l'hôpital, mais tu viendras avec moi, maman ?

— Oui papa et moi t'accompagnerons et après tout ira mieux tu verras.

Benjamin se leva et Suzanne prépara sa valise. Marcel et Suzanne avaient le cœur lourd de devoir hospitaliser Benjamin, mais ils savaient que c'était la seule solution pour trouver de quoi il souffrait. Ils mettaient tous leurs espoirs dans cette démarche et espéraient la guérison de leur enfant, qui plongeait de jour en jour dans une spirale infernale.

Suzanne téléphona au médecin afin de lui demander quelles étaient les démarches pour faire hospitaliser son fils. Le médecin l'informa qu'il s'occupait de tout, qu'il prenait contact avec son collègue du service pédopsychiatre afin de l'avertir de la situation et de l'arrivée de Benjamin, dans son service.

Marcel et Suzanne montèrent en voiture avec Benjamin. Sur le trajet menant à l'hôpital, Benjamin ne dit rien, il voyait défiler les paysages et restait cloîtré dans ses pensées. Tout à coup, il se mit à hurler, Marcel s'arrêta sur le bord de la route.

— Qu'est-ce que tu as Benjamin ? Demanda Suzanne,
— Elle est là dans le champ ! s'écria-t-il.
— Qui est là ?
— La dame noire et tous les gens qui pleurent, elle veut que je vienne avec elle pour me raconter une histoire, mais je ne veux pas y aller, non je ne veux pas, elle me fait peur, ne la laisse pas m'emmener s'il te plaît maman, garde-moi avec toi.
— Benjamin, jamais personne ne pourra t'enlever à ta famille, ton père, ton frère, ta sœur et moi serons toujours là pour te protéger. Aller calme toi mon chéri. Bientôt tout ça ne sera plus qu'un mauvais souvenir.

Ils reprirent la route, mais Suzanne resta à l'arrière, elle préférait rester avec son petit garçon, qui s'était blotti dans ses bras.

Au bout d'un certain temps, ils arrivèrent à l'hôpital, Marcel et Benjamin s'installèrent en salle d'attente, tandis que Suzanne se présenta à l'accueil, pour l'hospitalisation de son fils. Une fois les formalités terminées, elle alla les rejoindre en salle d'attente. Marcel et Suzanne étaient très angoissés à l'idée de devoir laisser Benjamin seul à l'hôpital, mais il ne fallait en aucun cas que leur fils s'aperçoive de quoi que ce soit.

On appela Benjamin, Suzanne et Marcel s'avancèrent vers l'infirmière.

— Bonjour Benjamin, Madame, Monsieur, je vous en prie, suivez-moi, je vais installer votre fils dans le service et lui faire découvrir sa chambre.

Ils suivirent l'infirmière sans un mot, on pouvait, en regardant le visage de Marcel et Suzanne, ressentir la tension qui était à son maximum. Benjamin n'avait aucune réaction, il semblait subir, juste subir sans rien dire.

L'installation se passa sans problème, l'infirmière avertit les parents qu'ils devaient patienter quelques instants, le médecin allait venir les voir. Marcel et Suzanne finir d'installer Benjamin en essayant de lui faire oublier où il se trouvait, mais il n'eut aucune réaction tant inquiète, que joyeuse, aux gestes affectueux de son père.

Au bout de quelques minutes, le médecin entra dans la chambre.

— Madame, Monsieur. Bonjour, Benjamin, alors je vais t'expliquer ce que nous allons faire ensemble, tu es d'accord ?

Benjamin baissa la tête, il n'eut aucune réaction.

— Benjamin, dit le médecin, je vais te faire passer quelques examens, tu vas voir plein de grosses machines, mais n'est pas peur tu ne risques rien ici. Tout le personnel est là pour les résidents et si tu as le moindre souci ou la moindre peur, tu vois ce bouton rouge, tu appuies dessus et quelqu'un viendra.

De plus, tu n'es pas seul, garçons et filles sont dans les chambres d'à côté.

Quand nous aurons fini les examens, tous les deux nous parlerons et tu me raconteras tout ce qui te passe par la tête, je ne suis pas là pour te disputer, mais pour t'aider et trouver une solution. Sur ce je vous laisse, nous commencerons les examens demain matin. Allez bon courage Benjamin. Madame, Monsieur, ne vous inquiétez pas, nous allons prendre soin de lui.

Ils remercièrent le médecin d'un signe de la tête.

Marcel et Suzanne regardèrent l'heure et durent prendre la route du retour, parce que l'hôpital n'était pas tout prêt, mais surtout ils avaient deux autres adolescents à s'occuper et il était hors de question de les délaisser, malgré l'état de Benjamin.

À peine étaient-ils arrivés que Serge et Sophie demandèrent des nouvelles de Benjamin. Comment cela s'était passé, est-ce qu'il était bien installé… Marcel et Suzanne sentaient bien que Serge et Sophie étaient perturbés par la santé et l'hospitalisation de Benjamin, jamais un membre de la famille n'avait été séparé du clan, ils étaient angoissés.

Marcel et Suzanne décidèrent qu'il fallait parler de la situation aux aînés. Ils expliquèrent que Benjamin n'était pas malade physiquement, mais plutôt… Suzanne eut du mal à lâcher le mot : « mentalement ». Rien que ce terne dans sa bouche la fit éclater en sanglots. Serge et Sophie prirent leur mère dans leurs bras afin de la réconforter.

Marcel reprit la parole et dit à ses enfants :

— Ce que votre mère essaie de vous dire, ce n'est pas que Benjamin est… est « fou », mais son imagination est tellement développée qu'il s'invente des situations qui malheureusement pour lui deviennent réelles et lui font peur. Donc les médecins vont lui faire des examens, pour déterminer un protocole de soin. Mais je vous rassure Benjamin a bien compris et il est fort votre petit frère, tout va bien se passer.

Serge et Sophie restèrent blottis dans les bras de leur mère. Suzanne resta avec ses enfants un long moment avant de dire :

— Il est tard et je n'ai pas préparé le dîner !

Marcel prit la parole, il proposa une solution qui permettrait à Suzanne de la soulager pour ce soir, elle qui, en plus de s'occuper de la maison et des enfants, allait devoir faire, tous les jours, des aller et retour à l'hôpital :

— Pour une fois, on pourrait commander une pizza, ça te reposera et les enfants aiment bien.

— Oh oui ! Allez maman, dit oui, s'il te plaît, dit oui…

— Bon c'est d'accord, mais juste pour cette fois.

Suzanne avait l'habitude de donner une nourriture saine à sa famille, elle n'achetait jamais de plat tout préparé, cette nourriture pleine de sucre ou de colorants. Elle préférait faire elle-même sa cuisine avec les légumes de son potager et la viande venait de chez son voisin éleveur.

Après le dîner, ils n'avaient pas la tête à regarder la télévision, ils partirent tous se coucher directement.

Le lendemain matin, Suzanne reprit ses habitudes et prépara le petit déjeuner, mais elle n'avait qu'une envie, prendre des nouvelles de son petit Benjamin.

Les aînés partis, elle prit le téléphone pour appeler l'hôpital.

— Bonjour, je suis la maman de Benjamin, je souhaiterais avoir des nouvelles et savoir comme c'est passé sa première nuit, s'il vous plaît ?

— Ne quitté pas Madame, je vais vous passer le médecin.

— Bonjour, Madame, nous avons eu un petit souci avec Benjamin cette nuit, il était très agité, il pleurait et nous n'arrivions pas à le calmer, alors pour qu'il ne se fasse pas mal nous avons été obligés de lui donner un petit tranquillisant. J'ai essayé de le faire parler afin de savoir ce qui le mettait dans cet état et il m'a répondu : « la dame noire est là », il avait très peur. Savez-vous ce que représente cette « dame noire » pour lui ?

— Non, docteur, c'est pour cette raison que nous avons consulté votre confrère et qu'il nous a dirigés vers vous, nous sommes impuissants devant les peurs et angoisses que déclenche la soi-disant apparition de cette dame noire que mon fils voit.

— OK, je comprends votre inquiétude.

— Peut-on venir voir Benjamin ?

— Bien sûr, vous pouvez et devez venir le voir, votre absence risquerait d'accentuer ses angoisses.

— Merci docteur.

— Au revoir, Madame, je vous tiens au courant dès que j'ai les résultats des examens.

Suzanne raccrocha et expliqua la situation à Marcel. Il ne dit mot, il n'était pas homme à ce laissé aller et puis il devait être fort pour Suzanne et ses trois enfants. L'après-midi, Marcel et Suzanne se rendirent à l'hôpital, à leur arrivée, Benjamin était endormi, les effets du calmant faisant encore effet.

— Bonjour mon chéri... Benjamin c'est maman...

Mais Benjamin ne se réveilla pas. Inquiète, Suzanne alla voir une infirmière.

— Bonjour Madame, excusez-moi de vous déranger, mais Benjamin ne se réveille pas, qu'est-ce qu'il se passe ?

— Comme le médecin vous l'a expliqué, nous lui avons donné un sédatif pour le calmer.

— Mais est-ce normal qu'il dorme encore, nous sommes en fin d'après-midi et depuis cette nuit il devrait quand même réagir.

— Je vais appeler le médecin.

Après quelques instants, le médecin arriva.

— Bonjour, Madame, que se passe-t-il ?

— Benjamin ne se réveille pas, ce n'est pas normal.

— Comme je vous l'ai dit, nous lui avons administré un sédatif, il était vraiment très agité cette nuit, il a failli se faire mal à force de se débattre et afin de le protéger nous avons fait ce qu'il fallait. De ce fait, nous avons procédé à plusieurs examens et il en résulte que Benjamin ne souffre d'aucune pathologie physique. C'est déjà une bonne nouvelle.

— Oui effectivement c'est une bonne nouvelle, mais alors de quoi souffre-t-il ?

— Pour l'instant je ne peux pas vous en dire plus, je vais débuter les séances de psychanalyses, nous verrons bien ce qu'il en ressortira.

— D'accord, mais pour l'instant quand va-t-il se réveiller ?

— Attendez un peu, ça se devrait plus tarder.

— Merci docteur.

Suzanne retourna dans la chambre et expliqua à Marcel ce que le médecin venait de lui dire sur les résultats d'examens de Benjamin et durant leur conversation, Benjamin ouvrit les yeux.

— Bonjour, mon chéri, comment te sens-tu ?

— J'ai bien dormi, maman, j'ai faim s'il te plaît.

Suzanne avait bien évidemment prévu une part de gâteau, qu'elle avait fait quelques heures auparavant, en pensant à son petit garçon seul dans ce grand hôpital.

— Tiens mon chéri, je t'ai apporté une part de gâteau que maman a fait pour toi.
— Oh merci maman, je t'aime très fort.

Benjamin mangea son gâteau avec beaucoup de plaisir.

Suzanne lui demanda :

— Comment te sens-tu ?
— Maman, la dame noire et les gens qui pleurent sont encore venus m'embêter, je ne veux pas les suivre.
— Comment ça les suivre ?

Benjamin continua à manger son gâteau et ne répondit plus aux questions de sa mère. Marcel regarda Suzanne d'un air inquiet, lui faisant signe de sortir de la chambre.

— Nous te laissons quelques minutes, papa et moi devons aller voir le docteur, d'accord mon chéri ?
— Oui, maman, je vous attends.

Marcel et Suzanne sortir de la chambre, puis Marcel dit à Suzanne :

— Tu as entendu ? Il n'a jamais dit que cette dame noire voulait qu'il la suive, je n'y comprends plus rien, j'ai l'impression que ma tête va exploser, Benjamin est en train de devenir fou.
— Marcel ! je t'interdis de parler de folie quand tu parles de notre fils, c'est juste un problème d'imagination et le médecin va trouver une solution.

— En es-tu vraiment sur ?

— Oui j'en suis sûr, Benjamin va vite guérir, rentrer à la maison et tout redeviendra comme avant.

Tous deux repartir voir Benjamin et la fin d'après-midi se poursuivie sans problème. À la fin de la journée, Suzanne et Marcel prirent congé de Benjamin en l'enlaçant et l'embrassant tendrement.

— À demain, mon chéri, fait de beaux rêves

— À demain, maman, à demain papa.

Ils reprirent la route pour rentrer.

Les jours défilèrent, mais l'état de Benjamin était stagnant. Suzanne et Marcel demandèrent un rendez-vous avec le pédopsychiatre.

— Bonjour Monsieur.

— Bonjour, Madame, bonjour Monsieur.

— Alors docteur, demanda Suzanne, qu'en est-il de Benjamin ?

— Eh bien, tous les examens que j'avais prescrits ont été faits, ce dont souffre votre fils ne relève pas d'une pathologie physique, mais.... enfin… je ne vais pas y aller pas quatre chemins, je me dois d'être honnête avec vous. Ce dont souffre Benjamin relève plus d'un problème psychiatrique, mais je ne peux rien faire puisqu'il se taire derrière son silence, dès que l'on essaie de parler de la dame noire. Je ne peux pas faire de miracle si je n'ai pas tous les éléments en main et Benjamin fait barrage.

— Mais docteur, dit Marcel qui jusqu'à maintenant n'était pas intervenu, comment pensez-vous pouvoir faire quelque chose pour améliorer l'état de mon fils ?

— Je… je n'ai qu'une seule solution, mais il me faut votre accord.

— Qu'elle est-elle ?

— Je peux essayer l'hypnose, c'est le seul moyen pour savoir ce qui se passe dans sa tête puisqu'il ne veut pas parler. Seriez-vous d'accord ?

Marcel et Suzanne se regardèrent. Le médecin leur proposa de les laissés seuls cinq minutes pour en parler.

— Qu'en penses-tu Suzanne ?

— Je pense que toutes les solutions possibles doivent être envisagées, il faut que Benjamin s'en sorte. Et toi ?

— Je suis d'accord avec toi, de toute façon c'est sans risque, je pense.

— Alors on est d'accord.

Le médecin réapparut et Marcel et Suzanne l'informèrent de leur décision :

— Docteur, nous sommes d'accord, si cela ne fait pas de mal à Benjamin.

— C'est une technique indolore, il s'agit de plonger Benjamin dans un sommeil, semi-endormi, afin de pouvoir lui poser des questions auquel il répondra plus facilement que s'il était éveillé puisque cela l'effraye. De plus, vous avez la possibilité d'y assister puisqu'il est mineur.

— Bien docteur, et qu'en pensez-vous le faire ?

— Eh bien, attendez que je regarde les disponibilités du praticien. J'ai un créneau de disponible après-demain, cela vous convient ?

— Tout nous convient quand il s'agit de la santé de notre fils. Donc après-demain nous serons présents. Au revoir docteur et merci de tout ce que vous faites pour Benjamin.

Sur ces paroles, Marcel et Suzanne passèrent dire au revoir à Benjamin, mais il s'était rendormi. Ils lui déposèrent un baiser sur le front avec toute l'affection dont ils avaient pour leurs enfants.

De retour à la maison, Serge et Sophie demandèrent des nouvelles. Marcel et Suzanne leur expliquèrent ce qui allait se passer après-demain, en espérant que grâce à cette séance une solution serait trouvée pour Benjamin.

Sophie se mit à pleurer, elle craqua.

— Qu'est-ce qu'il t'arrive, demanda Suzanne ?

— J'ai peur pour Benjamin, il était si joyeux, heureux de vivre et du jour au lendemain, il est devenu sombre, renfermé et triste. Dis-moi qu'il va guérir et redevenir comme avant, même les fois où il me taquinait me manque.

— Ne t'inquiète pas, nous faisons tout pour qu'il guérisse. Bientôt, tu m'appelleras pour me dire « Maman dit à Benjamin qu'il arrête de m'embêter ». Mais pour l'instant il faut que toute la famille reste soudée et forte pour lui, on ne doit pas baisser les bras, c'est compris les enfants ?

— Oui, maman…

Le jour du rendez-vous avec l'hypnotiseur était arrivé. Marcel et Suzanne arrivèrent à l'hôpital. Le trajet s'était déroulé dans le silence le plus total, l'angoisse montait d'un cran à chaque kilomètre parcouru. Ils se demandèrent comme cela allait se dérouler, qu'est-ce qu'ils allaient découvrir qui effrayait à ce point leur fils et comment allait-il s'en sortir, si toutefois il s'en sortait, parce que rien n'était sûr pour l'instant.

Le docteur de l'hôpital qui suivait Benjamin entra dans sa chambre afin de lui expliquer ce qui allait se passer.

— Bonjour Benjamin.

— Bonjour docteur.

— Benjamin, aujourd'hui tu vas rencontrer un autre docteur qui va te faire faire un petit dodo et il te posera des questions. Tu as compris ?

— Oui docteur, mais est-ce que la dame noire viendra dans mon sommeil parce que si elle vient demande-lui ce qu'elle veut et dites-lui qu'elle me fait peur.

— Ne t'inquiète pas si elle vient, l'autre docteur lui posera des questions et lui dira qu'elle arrête de te faire peur, on y va ?

— Oui, docteur, répondit Benjamin, qui était terrifié à l'idée de voir la dame noire.

L'hypnotiseur entra dans la chambre, prit Benjamin par la main et l'emmena dans une pièce insonorisée, mais qui pouvait être écoutée par les parents qui se trouvaient dans la pièce à côté.

— Docteur, dit Benjamin, mes parents ne sont pas venus pour me voir ?

— Ne t'inquiète pas, ils sont là, tu les verras après ton examen.

L'hypnotiseur commença la séance et Benjamin fut plongé dans un sommeil semi-conscient et d'une voie calme, douce, il commença à lui poser des questions :

— Benjamin…
— Oui, docteur.
— Où es-tu ?
— Je suis dans le jardin, je joue
— Tu te sens bien ?
— Oui, maman est en train de préparer le dîner et elle a fait une tarte.
— D'accord, je veux que tu penses très fort à c'est instant. Si tu sens que tu n'es pas bien, je veux que tu repenses tout de suite à ce moment-là. Tu as compris Benjamin ?
— Oui, docteur.
— La nuit quand tu dors, fais-tu des rêves ?
— Oui
— À quoi rêves-tu ?
— Je me rappelle pas très bien.
— Y a-t-il un rêve en particulier que tu aimes ?
— Oui docteur, des fois je rêve qu'on est tous les cinq en pique-nique et c'est bien.
— Et maintenant Benjamin, y a-t-il un rêve que tu n'aimes pas ?

Benjamin s'agita et il ne répondit pas tout de suite. L'hypnotiseur lui demanda de se réfugier dans son jardin, là où il était en sécurité, Benjamin se calma.

— Benjamin on reprend, quel rêve tu n'aimes pas ?
— C'est celui où est la dame noire

— Qui est la dame noire ?

— Je ne sais pas, elle me fait peur, elle veut m'emmener avec elle.

— Qu'est-ce qu'elle te veut, elle te l'a déjà dit ?

— Elle m'a dit qu'il fallait que je vienne avec elle parce qu'elle veut me dire quelque chose.

— Et qu'est-ce qu'elle veut te dire ?

Benjamin se mit de nouveau à s'agiter, l'hypnotiseur le fit se réfugier de nouveau dans le jardin, pour le calmer. Il prit la décision d'en arrêter la pour aujourd'hui, Benjamin était petit et l'état d'hypnose est fatiguant. Il réveilla Benjamin et le reconduit dans sa chambre.

Une fois Benjamin dans sa chambre, il vint voir les parents.

— Madame, Monsieur, je pense avoir besoin de beaucoup plus de séances pour faire céder le verrou qu'il a mis afin de se protéger et que l'on ne puisse pas entrer en connexion avec cette dame noire. Ne vous inquiétez pas c'est normal, ce qui fait peur, le cerveau, inconsciemment, le bloque.

— Docteur, dit Suzanne, qu'en pensez-vous après cette première séance ?

— Je pense que votre fils cache quelque chose qui est représenté par la dame noire, il faut simplement que j'arrive à déverrouiller son esprit pour en savoir plus. Je vous tiens au courant si quelque chose de nouveau arrive.

— Merci docteur.

Marcel et Suzanne allèrent voir Benjamin. Il leur expliqua qu'il avait vu un nouveau docteur, mais que celui là lui faisait faire dodo pour faire des examens. Puis il se coucha et se remit à regarder le plafond fixement comme si quelque chose l'attirait. Marcel et Suzanne étaient de plus en plus inquiets, ils avaient assisté à la séance et avait perçu la peur dans la voix de leur fils dès que la dame noire avait été évoquée.

Les jours défilèrent, la famille était toujours aussi inquiète pour Benjamin, l'hypnotiseur ne les avait toujours pas contactés pour leur donner des nouvelles.

Un jour, Suzanne reçut un coup de téléphone du lycée où était scolarisé son fils Serge.

— Allô !

— Oui bonjour Madame, je suis la Conseillère d'Éducation principale du Lycée où est scolarisé votre fils.

— Que se passe-t-il ? Serge est blessé ?

— Non rassurez-vous, mais il y a eu un incident, pourriez-vous venir au lycée tout de suite s'il vous plaît ?

— Bien, je me prépare et j'arrive, merci, Madame.

Suzanne était énervée, Serge n'avait jamais eu de problème dans ses études, qu'était-il arrivé pour que l'on convoque Suzanne sur le champ ? Elle se dépêcha et prit la route. À son arrivée, Serge était assis devant le bureau de la Conseillère avec un œil au beurre noir et une lèvre fendue.

— Bonjour, je suis la mère de Serge, Madame la Conseillère m'attend.

— Oui, bonjour, Madame, je préviens la Conseillère, veuillez patienter dans le couloir.

Suzanne rejoignit Serge et lui demanda ce qui s'était passé. Avant qu'il ait pu répondre, Madame la Conseillère la fit entrée dans son bureau.

— Je vous en prie, installez-vous. Voilà, si je vous ai appelé c'est que nous avons eu un problème avec Serge ce matin. Il s'est bagarré avec un de ces camarades, ce qui m'étonne beaucoup étant donné que ce n'est pas du tout dans ses habitudes.

— Je ne comprends pas, il n'est pas bagarreur, il a dû se passer quelque chose pour qu'il en arrive là, mais nous apprenons à nos enfants que de se battre ne résout pas les problèmes, ni les conflits. Je suis vraiment très étonnée.

La Conseillère fit entrer Serge dans son bureau.

— Serge vient s'il te plaît. Peux-tu nous expliquer ce qui s'est passé ?

— Je n'ai rien à dire.

— Serge, je ne t'ai pas élevé comme ça, comme oses-tu répondre ainsi ?

— Mais maman, je ne veux pas en parler, s'il te plaît.

— Écoute Serge, tu as toujours été un très bon élève et ton comportement était jusqu'alors irréprochable, donc pour la dernière fois, que s'est-il passé pour que tu réagisses si violemment ?

— Désolé Madame, je ne veux pas répondre.

— Ceci étant dit, je me vois dans l'obligation de te mettre trois jours d'exclusion de l'établissement pour faits de violence envers un camarade. Comprends-tu que cela va être porté à ton dossier scolaire ?

Madame, s'il vous plaît, pourquoi suis-je le seul à être puni, pourquoi mon camarade ne l'est pas ?

— Ton camarade est comme toi muet sur les faits, donc ne pouvant pas trancher, je vous exclus tous les deux trois jours.

— Serge, vas-tu parler ou préfères-tu que ton avenir soit entaché par cet incident ?

— Je ne dirais rien, renvoyez-moi si vous le souhaitez.

— Donc on fait comme ça, je te renvoie trois jours à compter d'aujourd'hui. Je suis vraiment désolé Madame, mais le règlement est le règlement.

— Je vous remercie de m'avoir reçu Madame, Serge sera puni comme il se doit, au revoir.

— Au revoir Madame, dit Serge.

Ils sortirent du bureau et se dirigèrent vers la voiture, mais en chemin Suzanne commença à interroger son fils :

— Vas-tu me dire à la fin ce qui s'est passé ?

— Maman, ça n'a pas d'importance, je ne veux pas te rendre triste.

— Comment ça triste, de toute façon tu t'expliqueras avec ton père ce soir.

Serge se tue, mais il appréhendait la discussion avec son père, ne sachant pas sa réaction étant donné qu'une telle situation ne s'était jamais présentée. Ils arrivèrent à la maison et Marcel était là assis à table, et attendant le retour de Suzanne et Serge.

— Bonjour papa.

— Bonjour, Serge, je pense que tu nous dois quelques explications. Nous t'écoutons.

— Je ne veux pas en parler papa, ça m'a fait mal ce qu'il a dit et je m'excuse d'avoir mal réagit, mais ne me demande rien.

— Serge, je pense que tu n'as pas compris ma question, je ne te demande pas ton avis, je veux des réponses.

— Papa, Maman, si je me suis battu c'est qu'il a dit des choses méchantes sur Benjamin…

— Quelles choses !

— Il a dit qu'il était enfermé parce qu'il était débile et moi ça m'a rendu fou de rage et comme il insistait j'ai frappé. Mais je ne voulais pas en parler, je ne voulais pas vous faire de mal.

— Serge, ton frère n'est pas débile, et tu n'aurais jamais dû réagir comme tu l'as fait, tu apportes de l'eau au moulin de la méchanceté de ton camarade. Et puis tu ne vas pas frapper toutes les personnes qui racontent des histoires ? Alors la prochaine fois, passe ton chemin et ne réagis pas. Maintenant tu vas monter dans ta chambre, faire une lettre d'excuses pour ton camarade et une pour Madame la Conseillère et tu resteras dans ta chambre durant ces trois jours, cela te permettra peut-être de réfléchir à ton attitude. Et je ne veux plus jamais ça, est-ce compris ?

— Oui, papa.

Suzanne et Marcel géraient les journées comme ils pouvaient entre la maison, les champs, Benjamin, les séances d'hypnose, il n'avait pas besoin que Serge fasse des siennes.

Quelque temps plus tard, dans l'après-midi, alors que Marcel était reparti aux champs, le téléphone sonna :

— Oui allô ?

— Bonjour, je vous appelle à propos de Benjamin, pourriez-vous venir au plus vite, s'il vous plaît ?

— Je joins mon mari et nous arrivons.

Suzanne informa Serge qu'elle allait rejoindre son père aux champs, que l'hôpital venait d'appeler, et qu'il fallait de suite venir au cabinet du médecin.

Sur ces paroles, Suzanne prit sa voiture, récupéra son mari et ils partirent pour l'hôpital. À leur arrivée, le médecin les fit entrer dans son cabinet, l'hypnotiseur était là, ils les attendaient. Suzanne et Marcel étaient très angoissés, ils se demandaient quel était le but de ce rendez-vous précipité ?

— Madame, Monsieur, en tant que médecin hypnotiseur de votre fils, je vous avais promis de vous tenir au courant de l'évolution de la situation, donc voici ce que j'ai appris de la bouche de Benjamin. Tout d'abord, la dame noire n'est pas, comme on aurait pu le penser, une dame habillée en noire, mais une dame de couleur noire. Avez-vous une connaissance antillaise ou africaine dans votre entourage ?

— Suzanne, surprise, répondue : non, nous n'en avons pas.

— Bien. Ensuite, Benjamin m'a expliqué que les gens qui pleuraient étaient tristes, il m'a dit que « c'est comme quand quelqu'un meurt », a-t-il déjà assisté à un enterrement ?

— Non pas du tout, nos parents respectifs sont décédés bien avant sa venue au monde, je ne comprends rien. Qu'en pensez-vous ?

— Madame, Monsieur, j'ai l'impression que tout ça cache quelque chose que Benjamin aurait peut-être vu ou entendu et son esprit confond entre histoire et réalité.

Les paroles du médecin résonnèrent comme des coups de marteau dans la tête de Suzanne, mais aussi de Marcel qui craignait terriblement pour son fils. Se serait-il trompé, son fils perdrait-il la tête, non ce n'était pas envisageable, il ne pouvait pas se résoudre à vivre en sachant que son petit garçon passerait sa vie en hôpital, en psychiatrie ou sous traitement médicamenteux afin d'éviter ses crises.

Le médecin nous informa qu'il devait continuer ses séances avec Benjamin, mais nous rassura en nous précisant que notre fils commençait à s'ouvrir et à se confier. Néanmoins, il faudrait sûrement du temps pour comprendre.

Suzanne et Marcel étaient bouleversés, ils prirent congé du médecin et rentrèrent chez eux. Tout le trajet se passa en silence, un silence pesant. À leur arrivée, Serge vient aux nouvelles, afin de ménager leur fils qui apparemment était bien plus perturbé qu'il voulait le laisser paraître, ils lui expliquèrent que le médecin les avait convoqués pour les informer que Benjamin commençait à s'ouvrir et à parler de cette histoire qui le perturbait. Serge étant un peu rassuré remonta dans sa chambre comme son père le lui avait ordonné en guise de punition.

Les jours défilaient, à chaque visite à Benjamin, nous espérions que le médecin nous appelle pour nous informer que tout était fini et que Benjamin avait enfin révélé les tenants et les aboutissants de son cauchemar, mais chaque jour était une déception de plus, pas de nouvelle du médecin.

Nous avions de plus en plus de mal à vivre sans Benjamin, nous avions l'impression de l'avoir abandonné, seule lumière dans cette sombre situation, Benjamin était un brave petit gars, il supportait sans rien dire ses séances d'hypnose et faisait tout son maximum pour trouver la solution avec le médecin.

Un jour, Benjamin se réveilla comme à son habitude, il attendait qu'une infirmière vienne l'aider pour sa toilette et qu'on lui apporte son petit déjeuner. En attendant son arrivée, il avait pris l'habitude d'aller rendre visite à ses amis des chambres voisines, des enfants qui souffraient de diverses pathologies plus ou moins graves.

Il passait de chambre en chambre, jusqu'à arriver à celle de son ami Paul. Il entra dans cette chambre et s'arrêta net, il fut tout à coup prit de panique, s'enfuie et s'enferma dans sa chambre. Une autre infirmière ayant vu Benjamin courir, entra dans la chambre pour lui demander ce qui se passait.

— Benjamin, que t'arrive-t-il ? Il y a beaucoup d'enfants malades dans le service et donc il est recommandé de ne pas faire de bruit, donc ne pas courir dans les couloirs.

Benjamin recroquevillé sur lui-même, tremblant et pleurant, ne répondu pas. L'infirmière essaya avec gentillesse de trouver un moyen de le faire parler, mais après un certain temps, l'infirmière abandonna et sortit de la chambre. À son arrivée au bureau, l'infirmière prit le téléphone pour informer le médecin de la situation de Benjamin.

Le médecin se rendit au chevet de Benjamin, il était toujours dans la même position, il n'avait pas bougé.

— Benjamin, que se passe-t-il ? Tu sais que tu peux tout me dire, je suis là pour t'aider, réponds-moi s'il te plaît.

Rien, aucune réponse, aucune réaction, le médecin n'était très inquiet, plus le temps passait plus les angoisses de Benjamin grandissaient. Le médecin demanda à l'infirmière de lui administrer un calmant afin qu'il n'ait pas de mauvaise réaction dès qu'il aurait repris ses esprits.

La nuit avait été tranquille pour Benjamin, la journée se déroula sans problème et dans l'après-midi, Benjamin se rendit à sa séance avec l'hypnotiseur. Il s'installa, et le médecin commença.

— Benjamin, rappelle-toi que si tu as peur tu dois te réfugier dans le jardin où tu te sens bien. Je voudrais que tu me racontes ta journée. Tu t'es levé et…

— Je me suis levé, j'ai pris mon petit déjeuner, l'infirmière est venue me voir pour ma toilette.

— Bien, mais ce matin tu es allé voir tes amis dans les chambres d'à côté et…

— Oui, j'suis allé dire bonjour à mes amis, et… non, non, je ne veux pas y aller, je ne veux pas la voir… elle est là… Benjamin tremblait et était effrayé.

— N'est pas peur Benjamin, tu es en sécurité dans le jardin, il faut juste que tu me racontes ce que tu vois.

— Quand je suis entrée dans la chambre de Paul, elle était là…

— Qui était là, Benjamin ?

— La dame noire, elle était là, j'ai eu peur qu'elle m'emmène avec elle, et j'ai couru jusqu'à ma chambre.

— Qui est cette dame noire, c'était l'infirmière qui soignait Paul. Mais qu'est-ce qu'elle te veut ?

— Elle veut que je vienne avec elle et les gens qui pleurent, elle veut me dire quelque chose, mais elle me fait peur.

— Essai de savoir ce qu'elle veut, tu la vois ?

— Oui elle est là, elle veut que je vienne, mais j'ai peur…

Le médecin attendit quelques secondes avant de continuer la séance. Il souhaitait que Benjamin, en phase hypnotique, aille vers cette dame en noire afin de savoir ce qu'elle avait à lui dire. Il pensait que c'était la clef de l'état de Benjamin.

— Benjamin, où es-tu ?
— Je suis dans le jardin et la dame en noire est devant moi, j'ai peur. Elle me dit quelque chose à l'oreille. Je ne comprends pas très bien, elle a une voix bizarre.
— Alors entends-tu ses paroles ?
— Oui, je les entends, elle me parle d'un petit garçon qui a le même âge que moi, qui est né le même jour que moi, mais qui n'existe pas. Docteur, Docteur, elle se rapproche, j'ai très peur…
— C'est bien Benjamin, maintenant tu vas te réveiller, doucement et tu te sentiras très bien.

La séance finie, le docteur appela son confrère pour lui faire part de ce que Benjamin lui avait dit. Il expliqua que la dame en noire parlait d'un autre petit garçon du même âge, né le même jour, mais qui n'existait pas. Tous deux semblaient se poser mille questions, était-ce son imagination, ou un événement qui avait provoqué l'état dans lequel Benjamin était plongé ?

Les médecins prirent la décision de convoquer les parents afin de savoir si ce récit leur faisait penser à une situation que Benjamin aurait vécue. Un des deux confrères convoqua les parents pour le lendemain après-midi. Il expliqua à Suzanne ce qui s'était passé ce matin et les révélations que Benjamin venait de faire. Puis il lui demanda qu'elle et Marcel cherchent dans leurs souvenirs à quoi cela pourrait se rapporter. Ils en parleraient demain.

Quand Suzanne raccrocha le téléphone, elle était bouleversée, mais ne savait pas pourquoi. Toute l'après-midi Suzanne fut angoissée. Elle avait la désagréable impression de savoir de quoi parlait son fils, mais impossible de se rappeler quoi que ce soit.

Marcel arriva, Suzanne appela les enfants pour qu'ils viennent à table. Marcel trouva que Suzanne n'était pas comme d'habitude, et l'interrogea :

— Chérie, tout va bien ?
— Oui, ne t'inquiète pas, je t'en parlerais plus tard.
Plus tard signifiait qu'elle lui parlerait que lorsque les enfants seraient dans leur chambre, elle ne voulait pas les affoler sans pouvoir trouver une explication rationnelle aux dires de Benjamin.

Les repas, comme les soirées n'étaient plus du tout comme par le passé quand Benjamin était là et que toute la famille était réunie et joyeuse. Après le dîner, Marcel regardait les informations et allait se coucher, les enfants partaient directement dans leur chambre, prétextant des tonnes de devoirs à faire, quant à Suzanne, elle mettait de l'ordre dans sa cuisine et allait rejoindre Marcel dans leur chambre. La joie qui régnait avant avait disparue.

Bien sûr Marcel et Suzanne continuaient à s'occuper de Serge et Sophie comme à leur habitude, ils ne voulaient surtout pas qu'ils aient l'impression de se sentir a rejeté ou à l'écart, mais ils sentaient bien qu'ils étaient autant préoccupés qu'eux pour Benjamin.

Suzanne arriva dans la chambre, elle expliqua à Marcel ce que le médecin lui avait dit, en l'informant de sa requête et du rendez-vous du lendemain.

Marcel resta sans voix. Mais où avait-il été chercher une histoire aussi rocambolesque, quelle imagination avait-il...

— Suzanne, je n'y comprends rien, je suis complètement perdu, mais d'où peut-il sortir une telle histoire ?
— Je n'en sais rien, répondit Suzanne.

Toute cette histoire tournait au cauchemar, Marcel était de plus en plus inquiet pour son fils, quant à Suzanne elle ressentait un mal être, mais elle ne pouvait pas l'expliquer.

Après une longue discussion, Marcel se tourna et s'endormit. Suzanne ne ferma pas l'œil de la nuit, tout tournait dans sa tête, elle se posait une multitude de questions. Mais pourquoi avait-elle se sentiment de culpabilité ?

Le lendemain, ils arrivèrent au rendez-vous, le médecin leur demanda s'ils s'étaient souvenus d'un événement qui pouvait avoir un rapport avec la situation décrite par Benjamin. Ni Suzanne ni Marcel ne répondirent. Le médecin les informa qu'il allait continuer, mais que sans avoir de situation de référence, Benjamin risquait de ne pas se sortir de ce tourbillon de visions. Ils étaient tous deux désemparés.

Les jours, les mois, passèrent et plus on avançait plus Benjamin resté obsédé par son récit. Il parlait de la dame noire qui veut l'emmenée pour lui parler, de gens qui pleurent, de récits sur un petit garçon qui n'existe pas.

Après quelque temps, les médecins finirent par mettre un nom sur la pathologie de Benjamin, pour eux il souffrait de « schizophrénie paranoïaque ».

Marcel et Suzanne avaient l'impression que le ciel leur tombait sur la tête. Suzanne pleurait, Marcel demanda au médecin ce qu'il fallait faire, si un traitement existait et si Benjamin allait guérir. Le médecin lui répondit qu'un traitement existait. Qu'il allait commencer à lui administrer, mais que leur fils ne serait jamais guéri, parce que l'on ne guérit pas de cette maladie, on vie avec. Que le traitement permettait seulement d'aider le patient à vivre en contrôlant leurs angoisses.

Suzanne reprit un instant son souffle, et demanda au médecin s'ils pouvaient reprendre Benjamin à la maison, ou si leur fils devait vivre définitivement dans un centre hospitalier. Le médecin leur expliqua qu'après un certain temps d'adaptation au traitement, Benjamin pouvait, s'il réagissait bien, rentrer à la maison et même qu'il pourrait reprendre l'école normalement.

Ces nouvelles donnèrent un peu d'espoir à Marcel et Suzanne. Enfin ! se dit Suzanne dans sa tête... Benjamin allait rentrer à la maison et la famille allait être de nouveau réunie. Il est sûr que tout cela avait provoqué de la fatigue et engendré beaucoup de dépenses, mais cette bonne nouvelle avait tout effacée, tant pis si toute la famille devait se serrer la ceinture, mais tous seraient ensemble.

Après quelques semaines, Benjamin s'étant bien adapté à son traitement put rentrer chez lui. Quel bonheur d'être à nouveau tous les cinq, pour ce jour particulier, après six mois d'absence de Benjamin, Suzanne avait préparé un succulent repas et le dessert préféré de son fils.

La vie reprit son cours, bien sûr avec quelques aménagements quant à la gestion de Benjamin, mais tout était redevenu comme avant. Et cette histoire de dame noire était définitivement terminée, Benjamin n'en reparla pas.

Chapitre II

Deux ans avaient passé, la vie avait repris son cours et tous se portaient bien. Un jour, Marcel et Suzanne invitèrent des amis chez eux. Ils souhaitaient les recevoir parce qu'ils venaient de devenir, les heureux parents, d'un beau bébé prénommé Jean. Ils n'avaient pas pu résister à l'envie de voir ce beau petit garçon, eux qui adoraient les enfants, étaient très heureux pour les nouveaux parents.

Suzanne et Marcel les accueillir à bras ouverts, toute la famille les félicita. Ils passèrent l'après-midi à discuter de choses et d'autres. La mère du petit Jean demanda certains conseils à Suzanne, elle qui en avait eu trois, pensait-elle, serait sûrement de bon conseil. Le soir venu, comme cela avait été prévu, ils restèrent à dîner, tous autour d'une table remplie de victuailles préparée, avec plaisir, par Suzanne.

L'amie de Suzanne la rejoignit dans la cuisine. Elle souhaitait savoir comment se portait Benjamin. Suzanne lui expliqua que ce n'était pas toujours facile, mais qu'il allait bien, le traitement faisait effet et il avait même repris l'école. Elle lui répondit qu'elle était heureuse d'apprendre de si bonnes nouvelles.

Au cours de la soirée, Benjamin s'approcha du bébé et de sa mère et posa une question à l'amie de Suzanne :

— Ton bébé tu l'as acheté où ?

Suzanne répondit à Benjamin qu'un bébé ne s'achète pas, qu'il est dans le ventre de leur maman, jusqu'au jour où, ils viennent au monde. Benjamin demanda à sa mère si elle avait des photos de lui dans son ventre. Suzanne a répondu positivement, mais elle lui dit qu'aujourd'hui, il y avait des invités et que ce n'était pas le moment pour déballer les photos souvenirs.

Benjamin n'insista pas et resta en admiration devant le bébé. Durant toute la soirée, il observa Jean. Suzanne surveillait de près Benjamin, elle avait une sensation bizarre en voyant Benjamin au côté de Jean et se demandait bien pourquoi son fils restait là, sans un mot à observer ce bébé.

Après avoir passé une agréable journée et un joyeux dîner entre amis, ils reprirent la route, mais avant leur départ, ils invitèrent Marcel, Suzanne et les enfants à venir à leur tour.

Tout le monde alla se coucher, seul Benjamin restait sur sa chaise. Suzanne lui demanda ce qu'il attendait. Benjamin répondit qu'il voulait voir les photos de lui bébé dans son ventre. Suzanne lui demanda d'aller se coucher, qu'elle lui montrerait demain, parce qu'il était tard.

La nuit qui suivit, Benjamin eut une nuit très agitée, certes il n'avait pas fait de cauchemar, mais il n'avait pas bien dormi.

Suzanne ne s'inquiéta pas plus que ça, elle pensa que le fait d'avoir reçu des amis avec leur bébé, avait peut-être perturbé Benjamin.

La journée se déroula comme d'habitude et, malgré sa nuit perturbée, Benjamin passa une bonne journée. Le soir venu, après dîner, Benjamin réitéra sa demande à propos des photos de lui bébé. Suzanne répondit qu'elle n'avait pas eu le temps de chercher ces photos, mais que dès qu'elle aurait un moment elle le ferait. Elle vit dans son regard qu'il était un peu déçu.

Quelques jours passèrent, et, alors que Suzanne se détendait sous l'arbre à l'ombre de son potager, elle se mit, tout à coup, à penser à la demande de Benjamin concernant les photos d'elle enceinte et de Benjamin bébé. Elle fut prise de nostalgie et ressentit le besoin de revoir ces photos. Elle se rappela que durant ses trois grossesses, elle était magnifiquement heureuse et se dit qu'elle devait partager tout se bonheur avec ses enfants.

Elle se leva et alla chercher dans les vieux cartons, entassés au grenier, lesdites photos. Bien sûr, elle tomba sur d'autres photos qui lui rappelait, aussi, de bons souvenirs : celle de son mariage avec toute la famille, ou encore les photos d'elle petite avec ses parents. Puis, elle trouva enfin le carton des photos de ses enfants. Elle les regarda avec amour et nostalgie et se souvint de la grossesse et de la naissance de chacun d'eux.

D'abord celle de son premier enfant, une grossesse sans problème, désirée et qui lui avait donné à elle et à Marcel le magnifique bébé qu'ils appelèrent Serge. Puis il y eut celle de son deuxième enfant, sa grossesse se déroula comme la première, mais là c'était une fille qu'ils prénommèrent Sophie. Enfin, la devant elle, dans cette boîte, les photos de sa dernière grossesse qui concernait son troisième enfant, Benjamin. Cette grossesse avait été une surprise. Ils n'avaient pas envisagé d'avoir un autre enfant, mais il était là et pour rien au monde, ils n'auraient stoppé cette grossesse.

Suzanne feuilleta toutes ces photos avec nostalgie, puis, tout à coup, elle fut prise de panique, jeta à terre toutes les photos, quitta précipitamment le grenier en laissant derrière elle les photos tel quel. Arrivée dans la cuisine, elle se mit à pleurer, puis alla dans sa chambre, s'habilla, mis ses chaussures, qui se trouvaient dans l'entrée et ferma la porte. Elle prit sa voiture et se mit à rouler, pour où, même elle ne savait pas. Mais qu'avait-elle vu, pour se mettre dans un tel état ?

Quand Marcel rentra à la maison, il trouva porte close. Il chercha Suzanne partout, mais pas de réponse. Où était-elle ? Qu'est-ce qui s'était passé ? Benjamin, peut-être ? Il prit le téléphone, appela Suzanne qui ne décrochait pas. Il monta dans sa voiture, alla directement à l'école de Benjamin. À son arrivée, il demanda à la Directrice si Benjamin avait eu un problème. Elle lui répondu, surprise, que son fils était en cours et que tout allait bien. Marcel ne comprenait rien, mais où était Suzanne ?

Le soir, Marcel dû aller chercher Benjamin à l'école, sa mère n'étant toujours pas rentrée. Puis ce fut au tour des aînés, qui arrivèrent par le car. Marcel demanda à ses enfants, si, un d'entre eux, savait où était partie leur mère, mais personne ne put répondre, ils n'en savaient rien. Serge demanda à son père :

— Papa, qu'est-ce qui se passe, où est maman ?
— Les enfants, je ne sais pas ce qui s'est passé, mais je vais vous faire à manger et je partirais à la recherche de votre mère.

Serge, Sophie, vous voulez bien vous occuper de Benjamin durant mon absence ?

— Oui papa, dit Serge, ne t'inquiète pas Sophie et moi on gère.

Marcel fit manger ses enfants. Une fois le repas terminé, Marcel laissa ses enfants et sortit. Il n'avait rien dit pour ne pas les affoler, mais il avait peur pour Suzanne, c'était la première fois qu'elle disparaissait comme ça, sans un mot, sans une explication.

Marcel prit sa voiture et roula dans tout le village, frappa aux portes des gens qu'ils connaissaient afin de savoir s'ils avaient vu Suzanne dans la journée. Mais tous répondaient qu'il n'avait vu personne. Au bout de quelques heures, Marcel s'arrêta sur le bas-côté d'un chemin de terre et se mit à pleurer, que s'était-il donc passé pour que Suzanne disparaisse comme ça ? Et pourquoi ne répondait-elle pas au téléphone ? Peut-être a-t-elle eu un accident de voiture, se dit-il ? Il essuya ses larmes et se dirigea vers la gendarmerie. Mais là aussi, il n'eut pas de réponse, les gendarmes, après avoir contrôlé, lui répondirent que rien n'avait été signalé concernant sa femme. Afin de le rassurer un peu, un des gendarmes lui dit qu'elle avait peut-être eu un problème mécanique et que là où elle se trouvait, elle n'avait aucun moyen de le contacter, qu'elle était peut-être, à l'heure où ils parlaient, rentrée à la maison. Mais Marcel ne pouvait s'empêcher de craindre le pire.

Il prit la route en direction de la maison, après tout, pensa-t-il, il a peut-être raison, Suzanne est peut-être rentrée…

Pendant ce temps, alors que Serge et Sophie étaient dans leurs chambres, Benjamin entendit du bruit au grenier, ce qu'il ne savait pas c'est que ce bruit, c'était le carton de photos, le concernant, et qu'il venait de tomber. Il grimpa au grenier, malgré l'interdiction de ses parents. Au grenier étaient entassés divers objets qui avaient appartenu à ses grands-parents, il les regarda sans intérêt. Puis, il vit les cartons de photos et s'installa pour les regarder sans faire de bruit.

Puis, tout à coup, Serge et Sophie entendirent Benjamin hurler ! Ils entrèrent dans sa chambre, mais personne. Ils appelèrent leur petit frère, afin de savoir d'où sa voix venait. Benjamin criait tellement fort, que les aînés comprirent qu'il était grimpé dans le grenier.

À leur arrivée, Benjamin était tétanisé dans un coin du grenier et pleurait à chaudes larmes.

— Benjamin, dit Serge, calme-toi, s'il te plaît, qu'est-ce qu'il se passe ? Et que fait tu dans le grenier ? Tu sais que c'est défendu de venir ici tout seul…

— La dame noire, la dame noire…

— Quoi, la dame noire ?

— Elle est là !

— Où ça ? Il n'y a que nous et personne d'autre. Aller calme toi, papa va bientôt revenir avec maman.

— Non là sur les photos avec maman.

Serge et Sophie regardèrent sur les photos et virent une dame de couleur noire, sans doute une Antillaise ou une Africaine, qui semblait être l'infirmière de l'hôpital où leur mère avait accouché.

— Benjamin, il y a effectivement une dame noire sur les photos, mais c'est l'infirmière qui a aidé maman à te mettre au monde.

— C'est la dame noire qui veut m'emmener pour me parler avec les gens qui pleurent.

— Aller Benjamin, calme-toi maman aura sûrement une explication et tout rentrera dans l'ordre, aller on descend, si papa et maman savaient que nous sommes montés sans eux au grenier, ils seraient fâchés, tu sais qu'ils nous l'on interdit pour notre sécurité, c'est dangereux de venir ici tout seul.

Ils redescendirent, mais Benjamin restait inconsolable. Serge et Sophie durent rester sur le canapé du salon avec Benjamin, tellement il était bouleversé d'avoir vu la dame noire sur les photos. Les aînés étaient inquiets, leur père tardait à rentrer et ils avaient peur qu'il soit arrivé quelque chose de grave à leur mère. Ils se regardèrent et sans un mot comprirent que si un malheur était arrivé à leur mère, cela serait le coup de grâce pour l'état de santé de Benjamin. Ils allumèrent la télévision pour changer l'atmosphère pesante qui régnait dans la maison.

Au bout d'un certain temps, Benjamin s'endormit. Il était minuit passé et toujours personne.

Du côté de Marcel, ce n'était pas la joie non plus. Il s'était arrêté, de nouveau, sur le bord de la route, il ne savait plus où il en était. Il se parla à lui-même : « Allez, Marcel, réfléchis, où aurait-elle bien pu aller ? ». Tout à coup une lumière vint éclairer la noirceur de cette nuit, le cimetière, quand Suzanne n'était pas bien elle se rendait sur la tombe de ses parents, cela faisait longtemps que ça ne lui était pas arrivé, mais avec les problèmes de Benjamin… « mais oui elle est sûrement là-bas, se dit-il ». Marcel redémarra la voiture et prit la direction du cimetière.

À son arrivée, enfin il trouva Suzanne, elle était en pleure sur la tombe de ses parents, mais elle était là. Sans poser de question, sans lui faire le moindre reproche, il la prit dans ses bras et l'entoura de tout son amour. Bien sûr, il avait eu très peur, mais cela n'aurait rien changé de faire une scène à Suzanne. Et puis, il était tellement heureux de l'avoir retrouvée.

Après quelques minutes, Suzanne regarda longuement Serge, les yeux remplis de larmes et se dit qu'il n'aimerait pas savoir ce qui lui était revenu en mémoire. Elle avait, depuis la naissance de Benjamin, vécue dans le déni de ce qui s'était réellement passé durant l'accouchement de son dernier. Mais aujourd'hui, le passé l'avait rattrapé et elle pensa qu'il était temps de dire toute la vérité, qu'à partir de ce jour, elle ne pourrait plus vivre en gardant ce secret. Mais comment Marcel allait-il réagir ? Ce qu'elle avait fait n'était pas simple à expliquer, Marcel allait avoir du mal à comprendre, pensait-elle.

— Allez chérie, on rentre, les enfants sont inquiets et ils nous attendent à la maison.

— Attends ! s'écria Suzanne. J'ai une chose importante à te dire.

— Suzanne, il pleut averse, on va d'abord monter en voiture et rentrer à la maison. Là au sec, nous aurons tout le temps de discuter.

— Marcel, s'il te plaît, écoute-moi. J'ai gardé un secret en moi depuis la naissance de Benjamin, d'ailleurs, je ne m'en souvenais même plus, je pense que j'étais dans le déni, mais quand j'ai regardé les photos de nos enfants cet après-midi, tout m'est revenu en mémoire.

— Mais de quoi parles-tu ?

— Ce que j'ai à te dire n'est pas facile pour moi, alors s'il te plaît écoute-moi et ne m'interrompe pas.

Suzanne avait peur, peur de ses révélations, car elle savait qu'après rien ne serait plus comme avant. Elle prit une longue respiration et se lança :

— Serge, te rappelles-tu quand j'attendais Benjamin ?

— Oui

— Tu te souviens aussi que lorsque j'ai accouché, tu n'étais pas là ?

— Bien sûr, je participais à une foire agricole, qui d'ailleurs nous a permis de souffler un peu, financièrement parlant.

— Eh bien voilà, quand le moment est arrivé, je suis partie seule, en taxi, à la clinique, après avoir déposé les aînés chez les voisins. Quand je suis arrivée dans la salle de travail, la sage-femme m'a confirmé que le travail était bien commencé et que l'accouchement serait pour cette nuit. J'ai attendu, les contractions étaient de plus en plus rapprochées et douloureuses. Au bout d'un moment, la sage-femme m'a préparé pour l'accouchement.

Suzanne s'arrêta, reprit son souffle, puis elle continua :

— Eh bien, ce jour-là… J'ai mis au monde… des jumeaux.

— Qu'est-ce que tu racontes, nous n'avons eu qu'un seul enfant.

— Non Marcel, le deuxième ne se voyait pas sur les échographies, mais il était bel et bien là. D'ailleurs c'est lui qui est sorti le premier et Benjamin ensuite.

Marcel resta muet, regardant Suzanne et se demandant s'il n'était pas en train de faire un mauvais rêve. Puis il posa « la » question tant redoutée par Suzanne :

— Mais où est-il ?

— Marcel, notre enfant est mort-né.

— Quoi ? Mais pourquoi ne m'as-tu rien dit ? Et où est-il ?

— Marcel pardonne moi s'il te plaît…

— Réponds-moi ! dit-il d'une voix sèche.

— Il est enterré là, avec mes parents.

— Quoi ? Mais comment as-tu fait pour l'enterrer sans que personne et surtout moi, ne soit au courant ? Et pourquoi cacher ce bébé comme s'il était honteux ?

— J'ai fait ce que je pensais être le mieux pour la famille. J'ai payé les pompes funèbres et je me suis arrangée avec eux pour que personne ne sache que notre fils était mort et qu'il était enterré là.

— Suzanne, qu'est-ce que tu me racontes ? Personne ne peut effacer un enfant, l'hôpital a sûrement dû le déclarer, tu as dû lui donner un prénom, et les pompes funèbres, comment ont-ils pu accepter ? Je suis son père et ils auraient dû me prévenir. Explique-toi…

— Marcel, dit-elle les sanglots dans la voix, je leur ai menti en leur racontant des histoires. Il faut que tu comprennes que j'avais peur, peur des représailles, peur d'être jugée, peur…

— Arrête Suzanne, peur de quoi ? Personne ne critique ou ne juge une femme qui met un enfant au monde, mort-né, c'est juste les aléas de la nature humaine et nous n'y pouvons rien. J'avoue que là je ne te reconnais pas, tu n'es plus ma douce et aimante Suzanne que je connais, par ton acte tu n'es, à mes yeux, qu'un monstre et surtout tu es dangereuse. Mais comment as-tu fait pour cacher ton chagrin et l'acte innommable que tu as fait ?

— S'il te plaît, Marcel… J'ai pensé à notre famille et le malheur que la perte de cet enfant allait provoquer, je voulais que tout soit parfait…

— Il n'y a plus de Marcel pour toi, comme tu n'existes plus pour moi. Nous allons rentrer, tu vas faire ta valise et partir chez tes parents ou à l'hôtel, peu m'importe. Je ne veux plus que tu approches les enfants.

— S'il te plaît, pardonne-moi…

— Comment veux-tu que je pardonne ce que tu as fait ? C'est impossible.

Sur ces mots, Marcel et Suzanne prirent le chemin de la maison. Tout le trajet se passa dans un silence pesant. Suzanne était désespérée et Marcel, lui, ne décolérait pas.

À leur arrivée, les aînés étaient là, dans le salon, en compagnie de Benjamin qui dormait entre son frère et sa sœur. Voyant leur père entrer dans le salon accompagné de leur mère, les enfants eurent une réaction de joie, mais en silence pour ne pas réveiller leur petit frère qu'ils avaient eu tant de mal à calmer. Marcel prit Benjamin dans ses bras et alla le coucher dans son lit. Puis il redescendit au salon, là Suzanne assise sur un fauteuil ne parlait pas, les aînés blottis dans ses bras.

— Les enfants, votre mère à quelque chose à vous dire, je vous demande de ne pas l'interrompre. Suzanne…

— Maintenant ? Cela ne peut pas attendre demain ?

— Non, c'est tout de suite et après… tu connais la suite du programme.

— Les enfants, si je me suis enfuie cette après-midi, c'est…

Et Suzanne expliqua à ses enfants ce qu'elle avait fait, en précisant que c'était pour le bien de la famille. Les aînés s'éloignèrent de leur mère et pris place sur le canapé, sans dire un mot. On pouvait lire sur leurs visages à quel point ce récit les avait bouleversés. Suzanne a compris que ses aînés avaient la même réaction que leur père, qu'elle avait probablement perdu l'amour de ses enfants.

Puis, Serge informa son père de ce qui s'était passé durant son absence.

— Papa.

— Oui, Serge.

— Il s'est passé quelque chose de bizarre quand tu n'étais pas là.

— Qu'est-ce qui s'est passé ?

— Benjamin est a entendu du bruit au grenier, nous, nous étions dans nos chambres, et il est monté. Puis tout à coup il s'est mis à hurler…

Suzanne comprit qu'il avait vu les photos, prit la parole et demanda :

— Qu'allait-il faire au grenier et qu'est-ce qu'il a vu ?

— Suzanne, tu veux bien les laisser finir. Merci.

— Quand on l'a entendu hurler, on est monté et il était dans un état de peur indescriptible. Nous lui avons demandé ce qu'il se passait et il nous a répondu qu'il avait vu la dame noire sur les photos à côté de maman. Nous on n'a pas bien compris, donc on l'a descendue, puis il s'est calmé et a fini par s'endormir.

Marcel resta quelques secondes, pensif, en réfléchissant à ce que les aînés venaient de leur raconter. Il demanda aux aînés de bien vouloir aller se coucher, que la journée avait été longue. Il leur souhaita une bonne nuit, Suzanne en fit autant.

— Suzanne, vu l'heure avancée, tu peux dormir sur le canapé, nous reparlerons de tout ça demain.

— Merci Marcel.

Toute la maison était endormie. Le lendemain matin, Suzanne prépara le petit déjeuner. Marcel alla réveiller les enfants, puis descendit. Arrivé dans la cuisine, il dit bonjour à Suzanne par politesse, mais ne l'embrassa pas. Puis les enfants arrivèrent, Suzanne servit le petit déjeuner, l'ambiance était glaciale, ni les enfants, ni Marcel n'adressèrent mot à Suzanne, elle était en quarantaine. Les aînés partis, Marcel conduisit Benjamin à l'école, en informant Suzanne qu'ils parleraient à son retour. Suzanne acquiesça.

À son retour, Marcel dit à Suzanne :

— Que penses-tu de la réaction de Benjamin face aux photos ?

— Je ne sais pas.

— Tu te moques de moi, tu n'as pas une petite idée ? Tes mensonges ont détruit toute la famille, et bien plus Benjamin, alors réfléchis.

— Je ne comprends pas ce que tu veux me faire dire.

— Ah non ! Tu ne comprends pas ? Ça ne te saute pas aux yeux ? Eh bien, laisse-moi t'éclairer, je vais te dire ce que tes mensonges ont provoqué. Voilà deux ans que notre fils Benjamin prend un traitement, suite à ses cauchemars de la dame noire. Tu ne penses pas que les deux ont un rapport ?

— Quel rapport peut-il y avoir entre le fait d'avoir caché la perte de mon fils et les cauchemars de Benjamin ?

— Ah tu ne vois pas ! Eh bien dans ce cas je vais te donner un aperçu des dégâts que tu as provoqués. Benjamin a eu des cauchemars horribles et nous avons dû le fait hospitaliser durant des mois, lui faisant passer des examens, subir des séances d'hypnose, avaler des médicaments, et tout ça pourquoi, parce que sa mère lui a caché l'existence de son frère jumeau. Il suit un traitement lourd depuis deux ans, et tout ça pour rien, pour rien, parce que si tu avais dit la vérité, il n'aurait pas, au plus profond de lui, cherché inconsciemment ce qui lui manquait, à savoir son frère. Tu comprends maintenant ?

— Oh, mon Dieu, qu'est-ce que j'ai fait, je pensais épargner ma famille et c'est tout le contraire qui s'est produit. Oh, mon Dieu, pardonnez-moi…

— Maintenant fais tes valises et part, je ne veux plus te voir.

— Je pourrais voir les enfants de temps en temps ?

— Non sûrement pas, pas avant que le divorce soit prononcé et que la juge ordonne une visite, mais sur site encadré et surveillé. Je n'ai plus aucune confiance en toi.

Sur ces dernières paroles, Suzanne monta faire sa valise. Elle réapparut quelques instants plus tard, manteau sur le dos, valise à la main et appela un taxi. Elle fit ses adieux à Marcel, qui ne lui répondit pas, et alla se placer à l'entrée de la propriété pour attendre le taxi. Une fois qu'il fut là, elle monta et disparut.

Marcel téléphona immédiatement au médecin de Benjamin, pour lui faire part de la situation et des révélations que sa femme venait de lui faire, qui, sans aucun doute, avaient un rapport avec l'état de santé de Benjamin. Le médecin lui fixa un rendez-vous.

Lors du rendez-vous, Marcel raconta tout. Ce qui l'étonna le plus, c'est que le fait de s'être confié l'avait presque soulagé. Le médecin préconisa de dire toute la vérité à Benjamin. Ces cauchemars venaient probablement de ce secret, son subconscient savait que son frère existait, mais lui ne l'avait jamais vu et n'en avait jamais entendu parler, ce qui le perturbait énormément. Il était évident qu'il fallait y aller avec tact dans le récit des tous ces faits et le médecin proposa à Marcel de le faire en sa présence. Marcel était d'accord et repartit un peu plus serein qu'à son arrivée, il allait pouvoir aider son fils.

Sur le chemin du retour, il passa chercher Benjamin. Le médecin, lui, se rendit directement au domicile de Marcel.

Arrivé à la maison, Benjamin vit le médecin et demanda à son père pourquoi il était là. Il lui expliqua qu'il avait quelque chose à lui dire et que le médecin était là pour pouvoir l'aider si quelque chose n'allait pas. Puis, ils s'installèrent tous les trois dans le salon, puis Marcel demanda à Benjamin de bien écouter ce qu'il allait lui dire. Marcel regarda le médecin pour se rassurer et d'un signe de la tête, il lui indiqua qu'il pouvait commencer le récit de cette histoire, ce qu'il fit. Benjamin écouta attentivement, les yeux mouillés par des larmes et dit à son père :

— Papa, alors la dame noire n'existe pas ?
— Si, Benjamin, c'est l'infirmière qui t'a mis au monde.
— Et les gens qui pleurent ?
— Ce sont sûrement les personnes qui se trouvaient autour de ton frère et qui étaient tristes.
— Et mon petit frère il est où ?
— Ton grand frère tu veux dire, parce qu'il est né avant toi, ce qui fait que tu es le quatrième enfant de la famille. Il est sûrement au paradis, son petit cœur était trop faible pour vivre et il repose en paix à côté de tes grands-parents qui veillent sur lui.

Benjamin se mit à pleurer. Marcel le prit dans ses bras en lui demandant ce qu'il avait. Il lui répondit que c'était pour son grand frère, qu'il était triste de ne pas l'avoir connu et qu'il espérait qu'il soit heureux là où il était, mais qu'il lui manquait.

Le médecin constata qu'une fois que la vérité avait été dite, Benjamin n'avait plus peur, mais maintenant, il était juste triste pour son jumeau, ce qui le rassura.

Marcel demanda à Benjamin de l'attendre sur le canapé, en lui disant qu'il revenait après avoir accompagné le médecin, jusqu'à sa voiture. À l'extérieur de la maison, le médecin discuta un long moment avec Marcel et fini par lui dire qu'il était sûr que tout aller bien se terminer pour Benjamin, maintenant qu'il savait la vérité.

— Allez, bon courage Monsieur, on se voit comme prévu avec Benjamin à son prochain rendez-vous.
— Merci pour tout docteur et à bientôt.

Marcel entra et retrouva Benjamin qui avait fini par s'endormir. Marcel remarqua que sur son visage reflétait la lumière et qu'il avait l'air serein.

Chapitre III

La vie reprit au sein de la famille, ce n'était pas facile tous les jours, mais chacun y mettait du sein pour que tout se passe au mieux. Il était évident que les enfants avaient été perturbés par ce qui s'était passé, alors Marcel leur dit qu'il ne fallait plus aucun secret dans cette famille et qu'il serait toujours là pour eux.

Quelques mois plus tard, une fois qu'ils avaient repris un certain rythme dans leur vie, Marcel entama les démarches de divorce. Il avait bien essayé de pardonner à Suzanne, en particulier pour ses enfants, mais c'était chose impossible pour lui, la confiance n'était plus la, ce qui, pour son malheur, ne l'empêchait pas de toujours aimer Suzanne, et ce malgré tout ce qu'elle avait fait.

Plusieurs semaines étaient passées, les aînés n'avaient toujours pas réclamé leur mère. Benjamin, de temps en temps, demandait où était sa maman. Dans ces moments-là, il semblait triste, mais ses aînés s'en occupaient avec tout leur amour et Benjamin passait vite à autre chose.

De temps en temps, au moment où Marcel se retrouvait seul dans sa chambre, il se demandait ce que Suzanne était devenue, où elle vivait, si elle s'en sortait seule ? Même après tout ce qu'elle avait fait, il lui arrivait de pleurer son absence, parce qu'au fond de lui il savait qu'il l'aimait encore et cela lui brisait le cœur.

Après avoir pris connaissance des faits, le juge prononça le divorce aux torts de Suzanne. Il ordonna la garde exclusive des enfants à leur père, mais, suite à la demande de Marcel, le juge autorisa des visites mensuelles à Suzanne et à ses enfants, à condition qu'ils en expriment le souhait. Ces visites se dérouleraient dans un centre pour enfant et sous surveillance d'une tierce personne. Suzanne suffoqua à l'énoncé du verdict, elle comprit qu'elle ne verrait plus ses enfants et que Marcel ne lui pardonnerait jamais ce qu'elle avait fait. Elle sortit très vite du tribunal, sans que personne ne la voie. Elle se cacha et attendit qu'ils sortent. Ils avaient l'air heureux et elle se dit qu'elle avait perdu le droit de les voir. Elle partit…

Elle se retrouvait seule, très seule puisque même ses propres parents ne voulaient plus entendre parler d'elle, eux si croyant, n'avait pas accepté qu'elle enterre un enfant sans nom et sans personne de sa famille pour l'emmener à sa dernière demeure. Ils étaient révoltés quant à ce que leur fille avait fait.

Suzanne, rejetée de tous, vivait dans une chambre d'hôtel sordide. Elle n'avait ni argent ni travail. Ses seuls revenus lui avaient été attribués lors du jugement de divorce. Une somme de dix mille euros lui avait été attribuée par an, au regard des parts qu'elle possédait dans la société agricole de son mari. Mais cette somme ne permettait pas grand-chose, une foi, le loyer de l'hôtel payé. Elle vivait au jour le jour, elle si disait qu'il lui fallait trouver un emploi, oui, mais dans quoi ? Elle qui n'avait jamais travaillé et était depuis toujours mère au foyer.

Du côté de Marcel et les enfants, la vie reprit tant bien que mal. Les aînés poursuivaient leurs études avec toujours d'aussi bons résultats, quant à Benjamin, après avoir été de nouveau suivi par les médecins, suite aux révélations qu'il avait eu sur l'attitude de sa mère, pu arrêter complément le traitement qui n'avait plus lieu d'être puisque les cauchemars avaient cessé.

Quelques mois plus tard, un jour alors que Suzanne marchait dans la rue, juste pour passer le temps et voir un peu de monde, elle aperçut ses aînés sur le trottoir d'en face. Elle traversa et alla au-devant d'eux. Serge et Sophie s'arrêtèrent net, ils la regardèrent d'un air surpris et lui demandèrent comment elle allait. Suzanne, toute contente qu'ils ne la rejettent pas, leur dit qu'elle essayait de survivre sans sa famille, mais que c'était très dur, que son mari lui manquait, mais surtout que sans ses enfants elle avait l'impression que son cœur lui avait été arraché.

Ses aînés se jetèrent dans ses bras, apparemment elle leur manquait à eux aussi. Son cœur battait à mille à l'heure, quel bonheur de pouvoir serrer ses enfants dans ses bras. Elle aurait voulu que ce moment dur l'éternité, mais ils devaient reprendre le car pour rentrer chez eux. Suzanne les embrassa et leur dit au revoir. Ce petit moment de bonheur avait ravivé tous les merveilleux souvenirs qu'elle avait en mémoire, mais aussi le fait qu'à présent elle était seule. Elle rentra à son hôtel, ne mangea pas et se coucha.

Les aînés étaient rentrés et étaient désireux de parler à leur père. Benjamin jouait dehors et ils en profitèrent pour lui parler.

— Papa.

— Oui, les enfants.

— On voudrait te parler de quelque chose, mais on ne voudrait pas te fâcher.

— Qu'est-ce qui se passe ?

— Bien, par hasard, on a rencontré maman dans la rue au moment où nous allions prendre le car.

— Ah oui et alors ?

— On voulait te dire qu'elle a l'air très malheureuse toute seule et elle nous manque.

— Je ne vous ai jamais empêché de la voir, mais vous ne devez pas la voir seule, elle n'en a pas le droit.

— Mais papa…

— Il n'y a pas à revenir sur les termes du divorce, tant que vous n'êtes pas majeur, c'est moi qui dis ce que vous pouvez ou vous ne pouvez pas faire, c'est bien compris ?

— Oui, papa, mais…

— Ça suffit !!! Aller dans vos chambres.

Serge et Sophie en étaient tout retournés, il n'avait jamais vu leur père réagir ainsi. Ils montèrent dans leur chambre, mais au bout d'un moment, Serge vient dans la chambre de Sophie afin de lui parler. Il frappa à la porte et Sophie répondit d'entrer.

— Sophie, tu as vu comment papa a réagi ? C'était un peu brutal et je ne l'avais jamais vu comme ça.

— Moi non plus, il est dur avec maman, c'est sur elle a des tords, mais elle m'a fait pitié, elle était triste, mal habillée, amaigrie et il m'a même semblé qu'elle avait pleuré.

— Je me suis fait la même réflexion. Il faut absolument que l'on trouve une solution pour que maman revienne à la maison.

Serge rejoignit sa chambre et quelques instants après Marcel et Benjamin allèrent se coucher.

Le lendemain matin, Suzanne ouvrit les yeux sur une nouvelle journée qui était pareille aux précédentes, monotones et solitaires. Tout à coup, Suzanne fut prise de crampes au niveau de l'estomac, elle appela le gardien afin de faire venir un médecin.

Quand le médecin arriva sur place, Suzanne était évanouie, le médecin l'examina et demanda au gardien d'appeler une ambulance. À son arrivée à l'hôpital, Suzanne était dans un état de grande faiblesse, cela devait faire bien longtemps qu'elle n'avait pas mangé quelque chose. Les médecins décidèrent de la mettre sous perfusion et sous antibiotique, ces résultats de prise de sang faisaient apparaître les signes d'une infection.

Après quelques jours à l'hôpital, Suzanne ouvrit les yeux. Le médecin lui expliqua ce qui s'était passé et lui demanda s'il devait prévenir quelqu'un. Suzanne ne répondait pas. Elle avait les yeux ouverts, fixes, mais ne montrait aucune réaction quant aux diverses questions que lui posait le médecin. Celui-ci demanda à l'infirmière si elle avait trouvé des papiers d'identité dans les affaires de cette femme. Elle lui répondit que lorsqu'elle était arrivée elle n'avait aucun papier ni sac avec elle. Le médecin décida d'appeler le confrère qui l'avait hospitalisé.

— Allô ! Oui bonjour, désolé de vous déranger, mais hier soir vous avez fait hospitaliser une patiente et je n'ai aucune identité, savez-vous quelque chose à son sujet ?

Le confrère lui expliqua que cette femme habitait à l'hôtel, que c'était le propriétaire des lieux qui l'avait contacté, mais qu'il allait se renseigner puisqu'il ne la connaissait pas non plus. Et lui dit qu'il le rappelait dès que possible.

Quelques heures plus tard, le médecin qui avait fait hospitaliser Suzanne arriva à l'hôpital avec ses papiers et demanda à rencontrer le médecin hospitalier qui s'occupait d'elle.

— Cher confrère, je vous ai ramené les papiers que j'ai trouvés dans la chambre de cette patiente, comment va-t-elle ?

— Bonjour, et merci pour les documents. Après examen, cette patiente n'a pas mangé depuis longtemps ou très peu, de ce fait elle a déclenché un processus grave au niveau de l'estomac, qui a provoqué ses fortes douleurs. De plus, il y a infection. Je l'ai mise sous antibiothérapie et perfusion pour la nourrir. Mais ce qui m'inquiète le plus, c'est que depuis son réveil elle ne réagit pas. C'est pourquoi je cherche quelqu'un de sa famille qui pourrait m'en dire plus.

— Et bien dans ses papiers j'ai trouvé une photo d'elle à côté d'un homme et de trois enfants et un numéro de téléphone. Peut-être que c'est celui de sa famille ? Il faudrait l'appeler.

— Oui, je m'en occupe. Je vous remercie de vous être déplacé, au revoir, cher confrère.

— Au revoir, tenez-moi au courant de l'évolution de son état, s'il vous plaît.

Quelques jours plus tard, après que l'infirmière eu prit contact avec Marcel, il se présenta dans le service afin de rencontrer le médecin qui s'occupait de Suzanne.

— Bonjour Monsieur.

— Bonjour Docteur.

— Vous êtes qui par rapport à Madame ?

— Je suis son ex-mari.

— Bien, si je vous ai demandé de venir, c'est que votre ex-femme ne va pas bien du tout. Quand elle a été hospitalisée, elle n'avait pas mangé depuis un certain temps, d'où les douleurs abdominales qu'elle a ressenties et qui ont déclenché son malaise. Après plusieurs examens, il s'avère que nous avons découvert une infection que nous sommes en train de soigner. Mais ce qui m'inquiète le plus, c'est qu'elle ne réagit plus, nous l'avons mise sous perfusion pour la nourrir. Aurait-elle subi un choc psychologique qui pourrait expliquer son état ?

— Effectivement nous avons subi un drame et il en est ressorti un divorce.

— Bien, je comprends mieux son état maintenant. Ce que je vais faire dans un premier temps, c'est soigner cette infection, attendre qu'elle reprenne des forces, mais après je pense devoir la transférer dans un hôpital psychiatrique, là elle sera prise en charge comme il faut. Mais je ne vous cache pas que si elle ne souhaite pas guérir, nous n'arriverons pas à la sauvée.

Marcel sortit du cabinet. Les derniers mots du médecin furent comme un électrochoc pour lui. Ces paroles tourbillonnaient dans sa tête et il se posa de nombreuses questions : « dois-je en parler aux enfants ou pas, dois-je l'aider malgré ce qu'elle a fait subir à notre famille, ou la laisser là sans personne et peut-être finir ses jours dans un sordide hôpital en psychiatrie, voir mourir seule sans personne ? ». Marcel aimait toujours Suzanne et il se dit qu'il n'avait pas le droit de ne rien faire, que même si ses mensonges avaient fait éclater sa famille en morceaux, il ne pouvait décemment pas laisser ses enfants dans l'ignorance et Suzanne dans un tel état. Cela reviendrait à mentir et à faire souffrir tous ceux qu'il aimait et ça il ne le voulait pas.

Sa décision était prise, il en parlerait aux enfants.

De retour à la maison, il attendait les aînés, Benjamin était déjà là puisqu'il était passé le chercher en revenant. Mais comment allait-il leur expliquer la situation, comment faire comprendre à ses enfants et surtout à Benjamin, encore si petit, que leur mère était gravement malade ? Comment éviter de les perturber encore une fois et de les traumatiser plus que ce qu'ils ne l'avaient déjà été ? Marcel était pensif.

À leur arrivée, Marcel les fit goûter et une fois terminé, leur demanda de rester à table parce qu'il avait quelque chose d'important à leur dire. L'étonnement se lit sur les visages des enfants.

Serge demanda à son père ce qu'il se passait et Marcel commença à expliquer la situation de leur mère. Il voyait les larmes couler sur les visages des aînés, quant à Benjamin, il fit une remarque qui perça le cœur de Marcel :

— Papa, maman est comme moi alors, elle est malade ?

— Oui, mon grand…

— Papa, dit Serge, qu'est-ce qu'on va faire ?

— Les enfants, nous sommes une famille et la décision doit être prise en commun. Deux solutions, la première on laisse maman à l'hôpital seule se faire soigner ou on attend qu'elle soit un peu rétablie et avec l'accord du médecin on la ramène à la maison. À vous de choisir.

— Et toi, papa, dit Sophie, qu'en penses-tu ?

— J'ai ma propre opinion, mais je ne veux pas influencer votre décision, donc je vous dirais ce que je souhaite après votre réponse.

Les enfants répondirent naturellement que leur mère devait rentrer à la maison et qu'elle guérirait beaucoup mieux et plus rapidement parmi sa famille.

Marcel ne dit rien, mais il était si heureux et fier de ses enfants et le fait de savoir que Suzanne allait rentrer à la maison lui remplit le cœur de joie. Bien sûr il n'avait pas oublié ce qu'elle avait fait, mais qui peut se vanter de ne jamais avoir commis d'erreur dans sa vie et il se dit qu'elle avait assez payé et qu'il était temps de tourner la page.

Serge demanda à son père la réponse à la question de Sophie. Marcel lui répondit :

— Les enfants, malgré ce qui s'est passé, j'aime toujours votre mère, elle est toujours ma femme dans mon cœur, même si nous sommes divorcés. Je suis très fier de vous et heureux que tous les trois vous ayez eu la force de lui pardonner. Je ne m'opposerais pas à son retour parmi nous et j'apprendrais jour après jour à lui pardonner à mon tour.

Les enfants éclatèrent de joie rien que d'imaginer le retour de leur mère à la maison.

— Papa, quand allons-nous voir maman ?

— Je vais voir avec le médecin si cela est possible ce week-end.

— Super, dit Benjamin, je vais pouvoir faire plein de gros câlins à maman, comme ça elle va guérir et puis le soir elle viendra comme avant me faire des bisous dans mon lit après m'avoir raconté une histoire.

Sur ces paroles, Marcel comprit que Suzanne manquait aux enfants, qu'un foyer sans mère n'est pas un foyer heureux.

Le week-end arriva, les enfants étaient prêts et impatients d'aller voir leur mère. À leur arrivée à l'hôpital, ils trouvèrent Suzanne, toujours les yeux fixant le plafond, n'ayant aucune réaction à la vue de ses enfants et de son mari. Marcel se demandait s'il n'était pas trop tard pour sauver la vie de sa femme.

Il demanda à ses enfants de rester auprès de leur maman et alla voir le médecin.

— Bonjour docteur, je viens aux nouvelles concernant l'état de santé de ma femme ?

— Bonjour, Monsieur, nous avons réussi à stopper l'infection dont elle souffrait, mais elle est toujours nourrie par perfusion et reste toute la journée les yeux ouverts vers le plafond, sans aucune autre réaction. Je pense qu'il va falloir la transférer en hôpital psychiatrique.

— Attendez, j'ai une proposition à vous faire, mais je veux votre avis de médecin avant d'aller plus loin. Les enfants et moi-même souhaiterions qu'elle rentre à la maison avec nous. Qu'en pensez-vous ?

— Cela pourrait accélérer sa guérison, mais ça risque d'être long et contraignant. Vous aurez, si je puis m'exprimer ainsi, quatre enfants à gérer.

— Je vais trouver une solution, quand pensez-vous que je puisse venir la chercher ?

— J'ai encore quelques examens à lui faire, donc disons le week-end prochain, comme ça vous aurez le temps de tout préparer pour son arrivée. Cela vous convient ?

— Merci docteur, merci pour tout. Je viens samedi la chercher. À la semaine prochaine.

Sur ses paroles, Marcel repartit dans la chambre annoncer la bonne nouvelle à ses enfants, puis il leur demanda de sortir afin de laisser leur mère se reposer. Une fois les enfants à l'extérieur de la chambre, il s'approcha de Suzanne, lui déposa un baiser sur le front et lui dit à l'oreille ces quelques mots : « tu vas rentrer à la maison avec nous, alors bat toi pour les enfants et moi, je t'aime tellement », puis il partit avec ses enfants.

Toute la semaine fut rythmée par les préparatifs du retour de Suzanne à la maison. Les enfants y mettaient du cœur, Benjamin faisait plein de dessins pour le retour de sa maman.

Marcel se posa la question de savoir comment il allait faire quand il était aux champs pour s'occuper de Suzanne. Puis il eut une idée, il prit le téléphone et appela ses beaux-parents.

— Allô ! Bonjour c'est Marcel, comment allez-vous ?

— Oh Marcel, qu'elle joie de vous entendre, oui nous allons bien et les enfants ?

— Ils vont bien eux aussi.

— J'aurais besoin de vous, mais cela ne concerne ni les enfants ni moi.

— Ah bon, mais cela concerne qui ?

— Votre fille....

Il y eut un long silence… Puis la conversation reprit.

— Qu’es qu’il y a ?

— Voilà, Suzanne est à l’hôpital, elle a été gravement malade, mais elle est guérie, néanmoins elle n’a plus aucune réaction, elle passe ses journées allongée sur son lit, les yeux ouverts vers le plafond.

— C’est sa punition ! s’exclama sa mère.

— S’il vous plaît, je pense qu’elle a déjà été assez punie comme ça, les enfants et moi-même allons la ramener à la maison samedi prochain, parce que les enfants lui ont pardonné. Mais entre les enfants, la maison et Suzanne j’aurais besoin d’un coup de main, pourriez-vous envisager de venir la journée à la maison pour vous en occuper ?

— Je ne sais pas, ce qu’elle a fait est impardonnable.

— C’est quand même votre fille et si nous ne faisons rien, elle risque de rester ainsi et d’être enfermée en hôpital psychiatrique. Vous ne connaissez donc pas le pardon, vous qui êtes chrétienne ? Et puis, vous savez bien que je ne peux pas demander à quelqu’un d’autre, étant orphelin, je n’ai pas d’autre famille que vous.

— Je vais en parler avec ton beau-père et je te rappelle. Au revoir, embrasse les enfants pour nous.

Marcel ni ne dit rien de cette conversation à ses enfants, il ne voulait pas qu’en cas de refus, ses enfants haïssent leurs grands-parents.

Trois jours plus tard, la maison était fin prête pour accueillir Suzanne. Un soir, alors qu’ils regardaient tous un film à la télévision, le téléphone sonna. C’était la mère de Suzanne, elle et son mari avaient pris la décision de pardonner à leur fille et était d’accord pour s’en occuper durant la journée. Marcel exprima ses remerciements à ses beaux-parents et organisa leur venue le samedi après-midi, jour du retour de Suzanne à la maison.

Les enfants se tournèrent vers leur père et demandèrent qui était au téléphone avec lui. Marcel éteignit la télévision et demanda à ses enfants de bien vouloir écouter, parce qu'il avait une très bonne nouvelle à leur annoncer.

— C'est maman ? dit Serge.

— Non ce n'est pas maman, mais c'est en rapport avec maman. Il y a quelques jours, j'ai demandé de l'aide à vos grands-parents, pour m'aider dans la journée, à m'occuper de votre maman. Au début, votre grand-mère n'était pas tout à fait d'accord, mais je lui ai demandé de réfléchir. Ne sachant pas la réponse, je ne voulais pas vous en parler avant.

— Et quoi ? dit Sophie.

— Eh bien, ils sont d'accord pour venir la journée s'occuper de votre mère, je suis sûr que tout va rentrer dans l'ordre maintenant, votre mère verra que tout le monde est là pour elle et elle va guérir.

La joie éclata au sein de la maison, et Marcel, en voyant ses enfants heureux comme cela n'avait pas été le cas depuis longtemps, se dit qu'il avait pris la bonne décision.

Le jour de la sortie de Suzanne arriva. Marcel était prêt, les enfants étaient prêts et tout était organisé pour Suzanne. Marcel prit la route. À son arrivé à l'hôpital, il effectua les démarches administratives pour sa sortie et alla chercher Suzanne dans sa chambre. Le médecin lui indiqua que tout ce qu'elle avait dans la chambre d'hôtel où elle habitait était là. Il lui souhaita bonne chance en lui précisant qu'il restait à sa disposition si toutefois il avait besoin de son aide, médicalement parlant.

Ils arrivèrent à la maison, durant tout le trajet Marcel avait parlé à Suzanne comme s'ils s'étaient quittés la veille. Mais aucune réponse de sa part. À la maison, les grands-parents et les enfants étaient là, tous impatients de voir arriver la voiture et leur mère.

Dès que la voiture franchit le portail, les enfants coururent au-devant d'elle.

— Maman !!! s'écria Benjamin.

Serge et Sophie étaient, eux aussi, heureux de la voir.

Marcel l'installa dans le salon, puis ses parents s'approchèrent d'elle pour lui dire bonjour, Suzanne n'eut aucune réaction. La mère de Suzanne sortit et se mit à pleurer toutes les larmes de son corps, « Oh, mon dieu, qu'avons-nous fait à notre fille, dans quel état est-elle ? Je ne pourrais jamais me pardonner ». Marcel alla la rejoindre, la prit dans ses bras et lui dit :

— Il n'est plus temps de se faire des reproches, nous avons tous une part de responsabilité de son état de santé, il faut arrêter de se lamenter sur soi-même, toute notre énergie doit être employée à l'aider à s'en sortir, si vous ne pouvez pas vous contrôler, vous ne mette d'aucune utilité ici. Allez sécher vos larmes et allez vous occuper de Suzanne. S'il vous plaît, faites ça pour les enfants.

— Vous avez raison Marcel, c'est sur moi que je m'apitoie, mais c'est fini.

La mère de Suzanne repartit auprès d'elle et embrassa sa fille, comme pour lui demander pardon.

Après une après-midi pleine d'émotion, les parents de Suzanne repartir chez eux en nous disant à demain.

Les jours qui suivirent étaient rythmés autour de Suzanne, le matin ses parents arrivaient de bonne heure, ils aidaient les enfants à se préparer et une fois qu'ils étaient à l'école, Marcel disait au revoir à Suzanne et à ses beaux-parents, puis partait aux champs travailler. Six mois s'étaient écoulé, Suzanne était toujours dans son monde et ne réagissait toujours pas.

Un jour, alors que Benjamin racontait sa journée à Suzanne, comme tous les jours, il se mit brutalement à hurler : Papa !!!! Tout le monde se précipita dans le salon.

— Benjamin, pourquoi hurles-tu comme ça dans la maison ?
— Regarde, regarde maman, elle a bougé sa main.
— Qu'est-ce que tu dis ?
— Oui c'est vrai, j'ai vu la main de maman bougée, on aurait dit qu'elle voulait la levée.

Marcel prit une chaise, s'essaya à côté de Suzanne et d'une voix douce, lui dit :

— Suzanne, peux-tu bouger la main ?

Les yeux de Suzanne se dirigèrent lentement vers son mari. Le cœur de Marcel allait exploser, c'était donc vrai, Suzanne était en train de revenir vers nous. Il appela toute la famille qui était dans le fond du jardin.

— J'ai une excellente nouvelle, Suzanne a bougé la main et quand je lui ai parlé, elle m'a regardé. Je suis sur maintenant qu'elle va guérir.

— Oh Suzanne ! Dit sa mère, tout est pardonné revient parmi nous, fait encore un petit effort s'il te plaît.
— S'il vous plaît, laissez-la respirer. Si tu m'entends, cligne une fois des yeux.

Tout le monde attendait la réaction de Suzanne, tous fixé sur ses yeux… et elle cligna des yeux. Ce jour-là, ce fut un jour de bonheur comme cela faisait longtemps que ce n'était pas arrivé dans la famille, ça y était Suzanne était en train de revenir, nous étions tous extrêmement heureux.

Le lendemain, Marcel prit contact avec le médecin qui l'avait suivi à l'hôpital. Il lui expliqua que Suzanne avait légèrement bougé la main et que lorsqu'il s'était approché et lui avait demandé de cligner des yeux si elle l'entendait, elle l'avait fait. Le médecin lui proposa de passer le lendemain pour ausculter Suzanne.

La soirée se passa dans la joie et la bonne humeur, Marcel et ses beaux-parents burent un verre en l'honneur du retour de Suzanne parmi eux.

Le lendemain tous attendaient le médecin, enfin, il arriva… Marcel alla l'accueillir.

— Bonjour, Messieurs, Madame, les enfants, alors où est notre miraculée ?
— Dans le salon, docteur.
— Je voudrais la voir seule, s'il vous plaît, et dès que j'ai fini, je vous appelle.
— D'accord, docteur.

Le médecin entra dans le salon, il y trouva Suzanne allongée sur le lit qui avait été installé pour elle.

— Bonjour, Suzanne, je ne sais pas si vous vous souvenez de moi, je suis le médecin qui vous a pris en charge à votre arrivée à l'hôpital. Alors il paraît que vous pouvez cligner des yeux pour dire oui ?

Suzanne cligna effectivement des yeux.

— Bien c'est un bon début, maintenant essayez de serrer ma main.

Suzanne bougea quelques doigts, mais n'avait pas assez de force pour fermer la main.

— C'est bien, nous allons en rester là pour aujourd'hui. S'il vous plaît, vous pouvez entrer. C'est une excellente nouvelle que je vous confirme, Suzanne est en train de se rétablir, je vais lui prescrire des vitamines, il faut qu'elle mange beaucoup de légumes et fruits frais et de la bonne viande. Autre chose, je vais faire venir un kinésithérapeute, chaque jour durant un certain temps afin qu'il aide Suzanne a retrouvé ses forces.

— Merci docteur, je vous dois combien ?

— Non pas de ça entre nous, je suis tellement heureux pour vous et votre famille, que le sourire qui illumine vos visages, me paye bien plus que vous ne pouvez l'imaginer.

Sur ces paroles, le médecin parti. Marcel prit la route pour la pharmacie, afin de donner le plus rapidement possible le traitement ordonné. Il était si heureux qu'il se surprit à chanter dans sa voiture.

La vie reprit son cours, les enfants avaient retrouvé le sourire, les parents de Suzanne arrivaient de plus en plus tôt et partaient de plus en plus tard, ils avaient peur de manquer quelque chose dans l'évolution du rétablissement de leur fille. S'ils avaient pu savoir à quel point leur présence m'avait aidé à surmonter ce malheur, je ne pourrais jamais assez les en remercier.

Marcel s'assit sur les marches devant la maison, les enfants étaient couchés, ses beaux-parents étaient partis et lui savourait cet instant, rafraîchi par une douce brise, sous les étoiles, dans un silence apaisant. Cela faisait si longtemps qu'après une journée de travail sous un soleil brûlant, il n'avait pris le temps de se poser et avait l'impression de se sentir aussi léger qu'une plume.

Plus les journées passaient, plus Suzanne se rétablissait. Bien sûr le médecin nous avait prévenus que son rétablissement serait long, qu'il faudrait s'armer de patience, mais question patience, je pense que toute la famille savait exactement ce que ce mot voulait dire. Tout se déroulait sans problème, les enfants travaillaient bien en cours, les parents de Suzanne étaient aux petits soins pour leur fille et Marcel n'attendait plus qu'une seule chose pour que son bonheur soit comblé, qu'il puisse enfin parler avec Suzanne pour lui dire combien il regrettait de l'avoir traitée comme il l'avait fait et qu'il l'aimait toujours.

Ce jour-là, nous étions en week-end, le kinésithérapeute était là, comme tous les jours de la semaine. À la fin de la séance, il demanda à toute la famille de le rejoindre dans le salon, tous surpris par cette requête, nous nous demandions pourquoi. Y avait-il un problème avec Suzanne ?

— Je vous en prie, entrez et installez-vous.

À notre arrivée dans le salon, quelle ne fut pas la surprise de voir Suzanne, assise sur une chaise.

— Oh ! Quel bonheur de te voir ainsi, dit Marcel en s'approchant de Suzanne pour l'embrasser.
— S'il vous plaît, Monsieur. Suzanne a quelque chose à vous montrer...
— Allez, Suzanne, vous êtes prête ?

Et avec l'aide du kinésithérapeute, Suzanne se leva de la chaise et fit quelques pas. Tous étaient en admiration devant les efforts qu'elles fournissaient pour se rétablir.

— Oh, ma chérie, ça y est tu marches, c'est un miracle !
— Oui, Marcel, lui répondit-elle.

Ce que la famille ne savait pas, c'est que le kinésithérapeute que le médecin de l'hôpital avait envoyé chez eux avait fait des études d'orthophoniste et qu'il avait réussi à redonner de la voie à Suzanne.

Marcel resta là et cette fois-ci, sans dire un mot.

— Marcel, dit Suzanne, maintenant que je peux parler de nouveau, c'est toi qui as perdu la parole ?
— Oh ma chérie ! Quelle joie d'entendre à nouveau ta douce voix, quel bonheur de te retrouver, si tu savais comme je regrette tout ce qui s'est passé, j'ai été un mauvais mari et je te supplie de me pardonner.

— Marcel, s'il te plaît, dit-elle d'une voix douce, je n'ai rien à te pardonner, j'ai agi de la manière stupide et j'en ai payé le prix fort, mais à partir d'aujourd'hui, je ne veux plus jamais que l'on reparle du passé, chacun des membres de la famille a eu sa part de tristesse et de souffrance, je veux que cela cesse et que l'on retrouve l'harmonie d'une famille heureuse.

Marcel serra Suzanne dans ses bras et ils s'embrassèrent longuement d'un baiser si tendre qu'ils auraient pu se fondre dans le décor. Puis ce fut au tour des enfants, ils arrivèrent vers leur mère, tous les trois la couvrir de baisers, et benjamin dit :

— Bienvenue avec nous, maman, tu m'as manqué et tes gâteaux aussi.

Tout le monde éclata de rire.

Puis Suzanne se tourna vers ses parents, qui la prirent dans leurs bras et l'embrassèrent tendrement. Enfin, se dit Marcel, ça y est ma femme est de nouveau là, avec nous. Quel bonheur !!!

Plus les jours passaient, plus Suzanne retrouvait sa mobilité physique et son langage était de plus en plus fluide. Marcel remerciait les étoiles tous les soirs de lui avoir rendu la seule femme au monde qu'il aimait d'un amour si fort, qu'il arrivait à peine à respirer pendant son absence. Son cœur débordait d'amour pour elle et il se jura que quoi qu'il se passe à l'avenir, jamais au grand jamais, il ne ferait deux fois l'erreur de la chasser de la maison.

Le lendemain matin, tous étaient là pour le petit déjeuner et Suzanne, pour la première fois, s'installa à table. Le repas se déroula dans la joie et la bonne humeur. Puis, Benjamin demanda à son père :

— Papa, j'ai une question.
— Oui Benjamin qu'es ce que tu veux ?
— Bien, tu m'as expliqué que maman n'était plus là parce que vous n'étiez plus marié.
— Oui et…
— C'est quand que vous vous remariez pour que maman reste à la maison ?

Marcel resta sans voix. Pourquoi n'y avait-il pas pensé lui-même, mais d'un autre côté, il fallait laisser le temps au temps pour que Suzanne soit au mieux de sa forme. Elle était encore fragile et reprenait tout doucement ses marques dans la vie, dans sa famille, comme dans la maison.

— Je te remercie Benjamin, mais je pense que c'est un peu prématuré, la principale occupation du moment c'est le rétablissement complet de maman.
— Oui, mais quand même tu…
— Benjamin on n'en reparlera plus tard, fini ton petit déjeuner, tu vas être en retard à l'école.

Plus le temps passait et plus Suzanne retrouvait ses forces, elle arrivait à se déplacer seule et arrivait même à participer aux tâches ménagères sans aide de notre part en compagnie de sa mère.

Le soir au dîner, malgré toutes ces bonnes nouvelles, Marcel perçu dans l'attitude de ses beaux-parents, un certain malaise qui le mettait mal à l'aise, il prit donc la décision de leur parler.

Au moment où ils étaient sur le point de partir, Marcel les raccompagna jusqu'à leur voiture et entama la conversation.

— Dites-moi, dit Marcel en s'adressant à ses beaux-parents.

— Oui, Marcel, qui y a-t-il ?

— Malgré les progrès de Suzanne, l'harmonie de notre famille, je sens comme un malaise, quelque chose que je devrais savoir ? À moins que ce soit d'ordre privé, auquel cas je m'excuse par avance de mettre immiscé dans votre vie privée.

— Non, Marcel, dit sa belle-mère, ce n'est pas d'ordre privé.

— Alors, après m'avoir aidé comme vous l'avez fait tous les deux, d'ailleurs vous avez ma reconnaissance éternelle, j'ai l'impression qu'il y a un problème, je me trompe ou pas ?

— Non vous ne vous trompez pas, mon mari et moi avons un peu d'appréhension quant à la suite.

— Quelle appréhension, dit Marcel ?

— On ne voulait pas t'en parler parce que tu as déjà bien des choses à gérer, mais vous savez ont à pris l'habitude de venir tous les jours pour Suzanne et les enfants.

— Oui

— Eh bien on appréhende la guérison de Suzanne, parce que vous n'aurez plus besoin de nous et tout recommencera comme avant, nous tous les deux seuls dans notre appartement en ville et vous ici à vivre votre vie. Oh bien sûr on se verra, mais à l'occasion des anniversaires ou autres, mais ce ne sera pas pareil. Voilà, maintenant vous savez pourquoi nous sommes inquiets.

— Ah bon ce n'est que ça ! Ne vous faites pas de souci, vous pourrez continuer à venir chaque fois que vous en aurez envie et ce n'est sûrement pas moi qui vous en empêcherais. Vous êtes mes invités d'honneur.

— Merci Marcel, notre fille à bien de la chance de vous avoir et nous aussi. Alors à demain pour une nouvelle journée de bonheur.

— Oui, faites attention sur la route, dormez bien et à demain.

La vie avait repris son cours et nous étions tous heureux des progrès de Suzanne qui était presque guérie. Cela faisait quelques jours que le kinésithérapeute ne venait plus, il avait expliqué à Suzanne que la meilleure thérapie c'était celle de la vie.

Quelques mois passèrent, Suzanne avait complètement récupéré son autonomie. Un soir alors que nous étions en train de dîner, je regardais Suzanne et c'est là que j'ai compris qu'il était temps de faire ma demande. Mais je voulais qu'elle soit plus grandiose que la première fois, tellement grandiose qu'elle ne pourrait jamais l'oublier. Je décidais que l'organisation se ferait avec la complicité de mes trois enfants et de mes beaux-parents, mais pour cela il fallait que je sois seul avec eux. Je savais que Suzanne avait encore des rendez-vous à l'hôpital, donc j'attendis le bon moment.

— Marcel ! Je pars à mon rendez-vous à l'hôpital, à tout à l'heure.

— Oui chérie, fait attention à toi, à tout à l'heure.

Marcel demanda à tous les membres de la famille de se réunir dans le salon. Tous se posaient des questions quant à l'objet de cette réunion, mais Marcel allait les éclairer.

— Si je vous ai réuni, c'est que j'ai une grande nouvelle à vous annoncer, mais pour que tout se passe bien, j'ai besoin de l'aide de chacun.

— Papa, dit Benjamin, qu'est-ce que tu veux faire ?
— J'ai l'intention de demander la main de votre mère.

Tous éclatèrent de joie…

— Oh là ! On se calme, j'ai besoin de vous, vous vous rappeler !!!
— En quoi peux ton vous aider Marcel ?
— Eh bien voilà, je voudrais organiser ma demande avec vous, je souhaite monter un barnum derrière la maison, l'entourer de fleurs, mettre un tapis rouge pour faire ma demande en mariage.
— On est tous partant, hein, les enfants, dit son beau-père.
— Merci, c'est très gentil. Mais ce jour-là, je veux que tout le monde soit bien habillé, genre costume, cravate pour les hommes et robes longues pour les femmes. Croyez-vous que ce soit possible.
— Oui, bien sûr, répondit la belle-mère de Marcel, je m'occupe d'habiller les enfants, mon mari et moi-même, mais aussi des fleurs. Si cela vous va ?

Marcel acquiesça.

— Pour le barnum, dit le beau-père, je m'en occupe.
— Je vous remercie pour vos propositions.
— Papa, dit Benjamin et moi je fais quoi ?

Serge et Sophie se tournèrent vers leur père, avec un regard qui posait à Marcel la même question.

— Les enfants, j'ai besoin de vous aussi, voilà Benjamin, il me faut des dessins avec de gros cœurs pour maman, Serge, j'aimerais que tu gères la musique au bon moment et enfin Sophie j'ai besoin de toi pour apporter la bague que je vais offrir à votre mère. Vous voyez, on a beaucoup de travail, alors au boulot.

Tout le monde était heureux. Chacun s'occupait des préparatifs de la demande en mariage. Marcel, maintenant qu'il avait prévenu tout le monde, commença à sentir l'angoisse monter.

Les jours qui survirent, Marcel et ses beaux-parents inventèrent n'importe quel prétexte pour éloigner, à tour de rôle, Suzanne de la maison.

Le jour J arriva. Marcel avait choisi une journée ou Suzanne avait un rendez-vous à l'hôpital pour que tous aient le temps de se préparer. Tout était en place, il ne manquait plus que Suzanne, qui devait revenir au maximum dans une demi-heure. L'attente fut longue pour Marcel, mais aussi pour le reste de la famille. Tout à coup, ils entendirent la voiture de Suzanne. Elle entra dans la maison et ne voyant personne s'étonna. Elle découvrit un petit mot sur la table qui lui demandait d'aller dans le salon. Arrivée dans le salon, elle découvrit une superbe robe couleur champagne, où était épinglé un autre mot qui disait : « s'il te plaît ma chérie, met cette robe et rejoins-moi dans le jardin derrière la maison ». Suzanne était étonnée, elle ne comprenait pas ce qui se passait.

Elle s'exécuta et se trouva tellement belle dans cette superbe robe, qu'elle alla se coiffer et se maquiller. Une fois prête, elle sortit dans le jardin à l'arrière de la maison. Quand elle vu ce que sa famille et surtout Marcel lui avait préparé, une larme de joie coula sur son visage et en quelques instants elle se rendit compte de la chance qu'elle avait d'avoir autant d'amour autour d'elle.

Elle s'approcha de Marcel l'air étonné.

— Suzanne, dit Marcel. Je t'ai épousé pour le pire et le meilleur il y a 20 ans, depuis les aléas de la vie ont fait que nous avons divorcé ce que je regrette profondément.

— J'avais demandé que plus personne n'en parle, dit Suzanne.

— Attends, s'il te plaît, laisse-moi parler. Je suis déjà très nerveux, ne m'interrompe pas, sinon je vais avoir du mal à aller jusqu'au bout. Donc je disais que malgré tout ce qui s'est passé, je t'ai toujours aimé, même divorcé. Maintenant que tu es là, en pleine forme, j'ai quelque chose à te demander…

Suzanne était très émue, elle ne l'avait pas dit à Marcel, mais elle aussi aimait son mari et d'ailleurs, c'était cet amour qui lui avait permis de tenir lorsqu'elle était séparée de sa famille, cet amour inconditionnel et l'amour qu'elle portait à ses enfants.

Suzanne regarda autour d'elle, ses enfants étaient magnifiques, ses parents étaient très beaux et la décoration très réussie. Elle aperçut les dessins de Benjamin, elle entendit la musique de Serge et Sophie était là à côté de ses parents et attendait.

Suzanne se retourna et Marcel put reprendre le cours de son discours.

— Suzanne, je ne veux pas te faire attendre plus longtemps. Il fit un clin d'œil à sa fille, elle s'approcha et tendit une petite boîte en velours rouge à son père. Suzanne, veux-tu m'épouser ?

— Marcel avant de te répondre, je voulais te remercier pour tout ce que tu as fait pour moi, sans ton amour je serais probablement morte à l'heure qu'il est. Mais ne parlons pas de chose triste aujourd'hui, je veux juste te dire que je t'aime et que la réponse à ta question est « oui », oui je veux t'épouser, et ce jusqu'à ma mort. En te promettant que plus jamais aucun secret ne se mettra en travers de notre amour.

Marcel lui mit la bague au doigt et embrassa Suzanne tendrement. Les enfants et les parents de Suzanne se rapprochèrent du couple pour les félicités.

La mère de Suzanne entra dans la maison, afin de mettre en place la table et sortir tous les bons petits plats qu'elle avait passé l'après-midi à préparer. Marcel, Suzanne, les enfants et le père de Suzanne arrivèrent à la maison, Suzanne découvrit tout ce que sa mère avait prévu pour le repas de fiançailles, ça donnait envie rien que de regarder les plats.

Après tout ce qui s'était passé, le bonheur et la joie de toute la famille étaient enfin revenus dans cette maison qui avait subi tant de tempêtes…

La moralité de cette histoire, c'est qu'il est bien plus difficile de pardonner que de haïr, mais lorsque l'on y arrive notre cœur est apaisé.

Imprimé en Allemagne
Achevé d'imprimer en novembre 2022
Dépôt légal : novembre 2022

Pour

Le Lys Bleu Éditions
40, rue du Louvre
75001 Paris